# クローン病
## の診療ガイド
NPO法人 日本炎症性腸疾患協会（CCFJ）編

第3版

文光堂

## ● 編集

NPO法人 日本炎症性腸疾患協会（CCFJ）
（理事長：杉田　昭）

## ● 編集協力

渡辺　守　東京医科歯科大学学術顧問・副学長

## ● 執筆者一覧（執筆順）

| | |
|---|---|
| 久部　高司 | 福岡大学筑紫病院消化器内科准教授 |
| 二見喜太郎 | 福岡大学筑紫病院臨床医学研究センター（外科）診療教授 |
| 松本　主之 | 岩手医科大学内科学講座消化器内科消化管分野教授 |
| 大塚　和朗 | 東京医科歯科大学医学部附属病院光学医療診療部教授 |
| 八尾　隆史 | 順天堂大学大学院医学研究科人体病理病態学講座主任教授 |
| 長沼　誠 | 関西医科大学内科学第三講座教授 |
| 長堀　正和 | 東京医科歯科大学医学部附属病院消化器内科・臨床試験管理センター准教授 |
| 辻川　知之 | 地方独立行政法人公立甲賀病院理事長・院長 |
| 松岡　克善 | 東邦大学医療センター佐倉病院消化器内科教授 |
| 久松　理一 | 杏林大学医学部消化器内科学教授 |
| 平井　郁仁 | 福岡大学医学部消化器内科学講座主任教授 |
| 河野　透 | 札幌東徳洲会病院先端外科センター長 |
| 小金井一隆 | 横浜市立市民病院炎症性腸疾患センター長 |
| 杉田　昭 | 横浜市立市民病院臨床研究部部長，炎症性腸疾患科部長 |
| 中村　志郎 | 大阪医科大学第2内科（消化器内科）専門教授 |
| 新井　勝大 | 国立成育医療センター小児炎症性腸疾患（IBD）センター センター長 |
| 国崎　玲子 | 横浜市立大学附属市民総合医療センター炎症性腸疾患（IBD）センター准教授 |
| 関　和男 | 横浜市立大学附属市民総合医療センター総合周産期母子医療センター臨床教授 |
| 高橋　賢一 | 東北労災病院大腸肛門外科部長・炎症性腸疾患（IBD）センター長 |
| 板橋　道朗 | 東京女子医科大学消化器・一般外科教授 |
| 石井　京子 | 一般社団法人日本雇用環境整備機構理事長 |
| 小林　清典 | 北里大学医学部新世紀医療開発センター横断的医療領域開発部門教授 |

# 利益相反（COI）

2017年1月～2019年12月の期間における，「クローン病の診療ガイド第3版」の編集者および執筆者と，本書の内容に関係する企業・組織または団体との利益相反状況は以下の通りである．

| 利益相反状況の開示項目 |
|---|
| ① 報酬額（1つの企業・団体から年間100万円以上） |
| ② 株式の利益（1つの企業から年間100万円以上，あるいは当該株式の5％以上保有） |
| ③ 特許使用料（1つにつき年間100万円以上） |
| ④ 講演料（1つの企業・団体からの年間合計50万円以上） |
| ⑤ 原稿料（1つの企業・団体から年間合計50万円以上） |
| ⑥ 研究費・助成金などの総額（1つの企業・団体から，医学系研究（共同研究，受託研究，治験など）に対して，申告者が実質的に使途を決定し得る研究契約金で実際に割り当てられた100万円以上のものを記載） |
| ⑦ 奨学（奨励）寄附金などの総額（1つの企業・団体からの奨学寄附金を共有する所属部局（講座，分野あるいは研究室など）に対して，申告者が実質的に使途を決定し得る研究契約金で実際に割り当てられた100万円以上のものを記載） |
| ⑧ 企業などが提供する寄附講座（実質的に使途を決定し得る寄附金で実際に割り当てられた100万円以上のものを記載） |
| ⑨ 旅費，贈答品などの受領（1つの企業・団体から年間5万円以上） |

※該当する場合は，具体的な企業名を記載，該当しない場合は"該当なし"と記載
※法人表記は省略．企業名は2021年1月現在の名称とした．

## 利益相反状況の開示

| 氏名 | 利益相反状況の開示項目 |
|---|---|
| 杉田　昭 | 全項目該当なし |
| 渡辺　守 | ④ゼリア新薬工業，ファイザー，ギリアド・サイエンシズ，EAファーマ，田辺三菱製薬，ヤンセンファーマ，武田薬品工業，セルトリオン・ヘルスケア・ジャパン，⑥アルフレッサファーマ，科研製薬，⑦EAファーマ，田辺三菱製薬，アステラス製薬，キッセイ薬品工業，アッヴィ，杏林製薬，ゼリア新薬工業，第一三共，大鵬薬品工業，武田薬品工業，日本化薬，ミヤリサン製薬，持田製薬，MSD，あゆみ製薬，⑧アッヴィ，旭化成メディカル，EAファーマ，協和キリン，杏林製薬，JIMRO，ゼリア新薬工業，田辺三菱製薬 その他の項目は該当なし |
| 久部　高司 | 全項目該当なし |
| 二見　喜太郎 | 全項目該当なし |
| 松本　主之 | ④武田薬品工業，田辺三菱製薬，アッヴィ，EAファーマ，ヤンセンファーマ，アストラゼネカ，ゼリア新薬工業，JIMRO，杏林製薬，日本化薬，⑦田辺三菱製薬，EAファーマ，日本化薬 その他の項目は該当なし |
| 大塚　和朗 | 全項目該当なし |
| 八尾　隆史 | 全項目該当なし |

| 氏名 | 利益相反状況の開示項目 |
|---|---|
| 長沼　誠 | ④武田薬品工業，ファイザー，⑥持田製薬，⑦EAファーマ<br>その他の項目は該当なし |
| 長堀　正和 | ④ファイザー，武田薬品工業，⑥日本イーライリリー，ファイザー，キッセイ薬品工業<br>その他の項目は該当なし |
| 辻川　知之 | 全項目該当なし |
| 松岡　克善 | ④ヤンセンファーマ，田辺三菱製薬，武田薬品工業，ファイザー，アッヴィ，EAファーマ，持田製薬，⑥ヤンセンファーマ，⑦アッヴィ，田辺三菱製薬，EAファーマ，持田製薬，日本化薬<br>その他の項目は該当なし |
| 久松　理一 | ④田辺三菱製薬，EAファーマ，アッヴィ，武田薬品工業，持田製薬，ファイザー，日医工，セルジーン，杏林製薬，ヤンセンファーマ，⑥アルフレッサ，EAファーマ，⑦田辺三菱製薬，EAファーマ，アッヴィ，武田薬品工業，ファイザー，持田製薬，JIMRO，第一三共<br>その他の項目は該当なし |
| 平井　郁仁 | ⑥日本イーライリリー，ヤンセンファーマ，⑦アッヴィ，あゆみ製薬，旭化成メディカル，EAファーマ，エーザイ，大塚製薬，キッセイ薬品工業，持田製薬，⑧アッヴィ，EAファーマ，JIMRO，杏林製薬，ゼリア新薬工業，田辺三菱製薬<br>その他の項目は該当なし |
| 河野　透 | ④ツムラ，⑥ツムラ<br>その他の項目は該当なし |
| 小金井一隆 | 全項目該当なし |
| 中村　志郎 | ④田辺三菱製薬，EAファーマ，ゼリア新薬工業，アッヴィ，ヤンセンファーマ，持田製薬，武田薬品工業，⑥持田製薬，⑦アステラス製薬，田辺三菱製薬，EAファーマ，キッセイ薬品工業，武田薬品工業，⑧田辺三菱製薬，EAファーマ，ゼリア新薬工業，アッヴィ，持田製薬，JIMRO，杏林製薬，大塚製薬工場<br>その他の項目は該当なし |
| 新井　勝大 | ④田辺三菱製薬，EAファーマ<br>その他の項目は該当なし |
| 国崎　玲子 | ④アッヴィ，EAファーマ，杏林製薬，田辺三菱製薬，ヤンセンファーマ，⑥味の素製薬（旧），EAファーマ，⑦EAファーマ，田辺三菱製薬<br>その他の項目は該当なし |
| 関　和男 | 全項目該当なし |
| 髙橋　賢一 | 全項目該当なし |
| 板橋　道朗 | ⑦武田薬品工業，アステラス製薬，大鵬薬品工業，中外製薬，ファイザー，大塚製薬工場<br>その他の項目は該当なし |
| 石井　京子 | 全項目該当なし |
| 小林　清典 | 全項目該当なし |

# 第3版
# 刊行にあたって

　クローン病はわが国で増加し，2016年には6万人を超えたとされています．厚生労働省難治性炎症性腸管障害に関する調査研究班の指針や欧米の各種ガイドラインが定期的に追記，改訂されており，新しい診断法や治療法の開発に伴って本症に対する新しい知見が患者さんの診療には必須と考えられます．

　本診療ガイドは2011年に本症の診断，治療の実践に役立てていただくことを目的に初版が刊行され，その後の変遷に伴って2016年に第2版が刊行されて実臨床のガイドブックとして利用していただいてきたと思います．

　近年，診断に関しては本症の病態の解明，長期経過例に合併する大腸肛門管癌を中心とする悪性腫瘍の診断，本症を合併する高齢者の特徴など，診断面での進歩があり，治療に関しては治療目標の設定に基づいて，内科治療では多くの有効な新規薬剤が使用され，外科治療では手術適応の変遷，手術術式の選択の変化などがみられています．これらの新しい診断法，治療法はその有効性と問題点の検証を行いながら，実臨床で患者さんの診療に役立てる必要があります．本診療ガイド第3版はこれらの観点から，従来の項目を多くの点で改訂，追記によりページ数を増やして現在の診療に役立てることのできる最新の内容を読者の皆さんにお届けすることを目的に刊行されました．

　本第3版を刊行するにあたり，ご尽力いただきました執筆者の先生方，本書の刊行にご支援をいただきました多くの関係者の皆さんにお礼を申し上げます．ぜひ本書の内容を皆さんの日々の実臨床に役立てていただきたいと思います．

　　2021年2月吉日

　　　　　　　　　　　　　　NPO法人 日本炎症性腸疾患協会（CCFJ）理事長

　　　　　　　　　　　　　　　　　　　杉田　昭

# 初版
# 刊行にあたって

　このたび，『クローン病の診療ガイド』を刊行することになりました．本書の前に『潰瘍性大腸炎の診療ガイド』を文光堂から出版しましたが，幸い多くの読者に支えられております．炎症性腸疾患の代表であるクローン病についても同様の編集方針で，東京医科歯科大学の渡辺守教授とともに診療ガイドブックを企画しました．

　患者数は潰瘍性大腸炎に比べやや少ないものの，クローン病の難治度は高く，入院率，手術率も高い疾患で，患者さんの生活も制限されることが多く，医師，看護師，栄養士などのチーム医療による緊密な連携が必要になります．

　最近は多様な新薬が治療に導入され，治療効果は以前に比べ格段に改善しており，本書にはこれらの最新の情報も盛り込まれております．

　本書では，炎症性腸疾患の分野で活躍している専門家に依頼して，基礎的な面から臨床的な面までを，前書と同様に重要な事項から簡潔に箇条書きにまとめていただきました．これによって各項目の理解は容易で，確実になり，多忙な臨床の場で実践的に役立つと確信しております．

　クローン病の診療，指導に当たり，本書を身近に置いて活用してくだされば，納得できる診療や説明が可能になり，患者さんとの信頼関係も築かれると思います．

　本書の発刊に当たり，多忙にもかかわらず，ご協力いただいた専門家の諸先生方，文光堂に心から感謝申し上げます．

　平成 23 年 9 月吉日
　　　　　　　　　NPO 法人 日本炎症性腸疾患協会（CCFJ）　理事長
　　　　　　　　　**福島恒男**

# Contents

## 第1章 診断と分類　10

### 1 クローン病の診断　久部高司　10
- ❶診断基準　10
- ❷診断のポイント　10
- ❸鑑別診断　12

### 2 クローン病の分類　久部高司　12
- ❶病型分類　12

### ❷活動度分類　13
### 3 肛門病変の診断基準　二見喜太郎　17
- ❶クローン病における肛門病変　17
- ❷クローン病における肛門病変の分類　17
- ❸肛門病変の特徴　17
- ❹クローン病診断基準としての肛門病変　19

## 第2章 検査法　21

### 1 上部・下部内視鏡検査　松本主之　21
- ❶下部内視鏡所見　21
- ❷上部内視鏡所見　23
- ❸内視鏡的活動指数　24
- ❹内視鏡検査における注意事項　24

### 2 消化管造影検査（X線検査）　松本主之　24
- ❶クローン病に用いるX線検査法　25
- ❷クローン病のX線所見　25

### 3 小腸内視鏡・カプセル内視鏡　松本主之　28
- ❶ BAE　28
- ❷ CE　28

### 4 横断的画像診断　大塚和朗　30
- ❶ MRI　31
- ❷超音波検査　33
- ❸ CT　33

## 第3章 病理　38

### 1 腸管病変の組織像の特徴　38
### 2 組織像と肉眼像の対応　39
### 3 クローン病診断における生検診断　40

### 4 クローン病の胃病変　40

(第3章)八尾隆史

## 第4章 内科治療　42

### 1 基本的な考え方　長沼誠　42
### 2 5-ASA製剤　長沼誠　42
- ❶薬剤の種類　44
- ❷作用機序　44
- ❸クローン病に対する適応　45
- ❹副作用・相互作用　45

### 3 ステロイド薬　長堀正和　46
- ❶適応および投与方法　46
- ❷寛解導入　46
- ❸副作用　46

### 4 免疫調節薬　長堀正和　47
- ❶適応および投与方法　47
- ❷寛解導入　48
- ❸寛解維持　48
- ❹瘻孔に対する効果　48
- ❺術後再発予防　48
- ❻抗TNF-α抗体製剤との併用の有用性　48

### ❼副作用　49
### 5 抗菌薬　長堀正和　50
- ❶適応および投与方法　50
- ❷寛解導入　50
- ❸術後再発予防　50
- ❹肛門病変　50
- ❺副作用　51

### 6 栄養療法（経腸栄養療法）　辻川知之　51
- ❶栄養療法の位置づけ　51
- ❷栄養療法の特徴と適応　51
- ❸使用する栄養剤の種類　52
- ❹投与の仕方　52
- ❺活動期の投与法　53
- ❻寛解期の栄養療法　53

### 7 GMA　辻川知之　54
- ❶ GMAの適応と効果　54
- ❷ GMA実施方法　55

- ❸ GMA 実施に際して ……………… 55
- ８ 抗 TNF-α 抗体製剤 ……… 松岡克善 55
  - ❶ TNF-α とは ……………………… 55
  - ❷ 作用機序 …………………………… 56
  - ❸ 製剤の種類 ………………………… 56
  - ❹ 適　応 ……………………………… 56
  - ❺ 治療戦略 …………………………… 56
  - ❻ 投与する前の注意事項 …………… 57
  - ❼ 効果減弱 …………………………… 58
  - ❽ 術後治療 …………………………… 59
  - ❾ 副作用 ……………………………… 59
  - ❿ その他の留意点 …………………… 60
- ９ 抗 interleukin-12/23p40 抗体製剤 …… 松岡克善 60
  - ❶ Interleukin-12/23p40 とは …… 60
  - ❷ ウステキヌマブとは ……………… 61
  - ❸ 適応と投与方法 …………………… 61
- ❹ 特　徴 ……………………………… 62
- ❺ 副作用 ……………………………… 62
- ❻ 注意点 ……………………………… 62
- 10 抗インテグリン抗体製剤 …… 久松理一 62
  - ❶ インテグリンとは ………………… 62
  - ❷ ベドリズマブとは ………………… 63
  - ❸ 適応と投与方法 …………………… 63
  - ❹ 特　徴 ……………………………… 64
  - ❺ 副作用 ……………………………… 64
  - ❻ 注意点 ……………………………… 64
- 11 内視鏡的拡張術 ……………… 平井郁仁 64
  - ❶ クローン病狭窄病変への考え方と EBD の適応 … 65
  - ❷ EBD の方法 ……………………… 66
  - ❸ EBD の治療成績と合併症 ……… 66
- **Topics** 新しい治療法―漢方薬 ……… 河野　透 70

## 第5章 外科治療　74

- １ 腸管病変 ……… 小金井一隆・杉田　昭 74
  - ❶ 手術適応と手術のタイミング …… 74
  - ❷ 術前検査 …………………………… 75
  - ❸ 手術術式 …………………………… 76
  - ❹ 術後経過 …………………………… 80
- ２ 肛門病変 ……………………… 二見喜太郎 81
  - ❶ 外科治療の選択 …………………… 81
  - ❷ 外科治療の実際 …………………… 81
  - ❸ クローン病肛門病変に対する治療指針 … 82
  - ❹ クローン病痔瘻に対するその他の治療 … 85

## 第6章 長期予後　88

- １ クローン病の自然史 ………………… 88
- ２ disease behavior …………………… 89
  - ❶ クローン病における disease behavior … 89
  - ❷ disease behavior と遺伝子マーカー … 90
- ３ 累積手術からみる長期予後 ………… 90
- ❶ クローン病における外科手術 …… 90
- ❷ 年代による手術率の変化 ………… 91
- ❸ 術後の再発予防 …………………… 92

（第6章）中村志郎

## 第7章 癌　化　96

- １ クローン病に合併する悪性腫瘍 …… 96
  - ❶ 消化管悪性腫瘍 …………………… 96
  - ❷ 消化管外悪性腫瘍 ………………… 96
- ２ クローン病に合併する小腸癌 ……… 97
- ３ クローン病に合併する大腸癌 ……… 99

（第7章）杉田　昭，小金井一隆

## 第8章 小　児　104

- １ 小児 IBD の診断 …………………… 104
- ２ 小児 IBD の治療 …………………… 106
  - ❶ 栄養療法 …………………………… 107
  - ❷ 5-アミノサリチル酸（5-ASA）製剤 … 107
  - ❸ 抗菌薬 ……………………………… 108
- ❹ ステロイド ………………………… 110
- ❺ 免疫調節薬 ………………………… 110
- ❻ 生物学的製剤 ……………………… 111
- ❼ 顆粒球吸着療法 …………………… 112
- ❽ 肛門病変に対する診療 …………… 112

❾外科療法 ················································ 112
　　❿ monogenic IBD の治療 ······················ 113
　❸ その他の小児クローン病診療における重要なポイント　114
　　❶予防接種 ················································ 114
　❷心理社会的側面 ········································ 114
　❸トランジション（移行期医療）················· 114
　❹成長障害 ··················································· 114

（第 8 章）新井勝大

## 第9章 妊　娠　116

　❶ IBD 合併妊娠管理の基本的な考え方 ···· 116
　❷ 疾患の遺伝性 ············································· 116
　❸ クローン病による受胎・妊娠・出産・授乳への影響　117
　　❶受胎への影響 ········································ 117
　　❷妊娠・出産・分娩への影響 ··················· 117
　　❸授乳への影響 ········································ 117
　❹ 妊娠・出産によるクローン病への影響 ······ 117
　❺ クローン病治療薬の妊娠・児に対する影響　118
　　❶女性患者の妊娠，胎児に対する影響 ····· 118
　　❷男性患者に対する影響 ··························· 120
　　❸授乳に対する影響 ·································· 120

（第 9 章）国崎玲子・関　和男

## 第10章 高齢者　123

　❶ 疫　学 ························································· 123
　　❶高齢者の定義 ········································ 123
　　❷高齢発症クローン病の頻度 ··················· 123
　❷ 診断と臨床的特徴 ····································· 123
　　❶高齢発症クローン病の診断 ··················· 123
　　❷高齢発症クローン病の病型と治療経過 ·· 123
　❸ 内科治療 ··················································· 124
　　❶副腎皮質ステロイド ······························ 124
　　❷チオプリン製剤 ····································· 124
　　❸抗 TNF-α 抗体製剤 ······························· 125
　❹ 外科治療 ··················································· 125
　❺ 合併症 ························································ 126
　　❶感染症 ··················································· 126
　　❷悪性腫瘍 ··············································· 126
　　❸血栓性合併症と抗凝固療法，抗血小板療法　126

（第 10 章）高橋賢一

## 第11章 食事および生活指導　128

　❶ 食事および生活指導の必要性 ··················· 128
　❷ 食事指導 ··················································· 128
　　❶活動期（重症）····································· 129
　　❷活動期（軽症〜中等症）······················· 129
　　❸寛解期 ··················································· 131
　❸ 生活指導 ··················································· 132
　　❶増悪因子を避ける指導 ··························· 132
　　❷講演会や患者会を通じた情報提供による支援　132
　　❸社会制度による支援 ······························ 132

（第 11 章）辻川知之

## 第12章 社会支援　134

　❶ 社会支援の必要性と支援体制　板橋道朗　134
　　❶社会支援の必要性 ·································· 134
　　❷支援体制 ··············································· 134
　❷ 社会保障制度　石井京子　135
　　❶難病医療費助成制度 ······························ 135
　　❷身体障害者認定 ····································· 135
　　❸所得補償 ··············································· 136
　　❹障害福祉サービス ·································· 136
　　❺合理的配慮の提供について ··················· 136
　❸ 患者支援組織　小林清典　137
　　❶患者会 ··················································· 137
　　❷保健所 ··················································· 137
　　❸難病相談・支援センター ························ 137
　　❹ハローワーク ········································ 138
　　❺その他 ··················································· 138
　❹ 間接的な支援活動　小林清典　139
　　❶難治性炎症性腸管障害に関する調査研究班　139
　　❷希少疾病用医薬品の開発促進制度 ········ 139
　❺ 生命保険への加入　小林清典　139
　column クローン病患者の就労支援　石井京子　141

# 第1章 診断と分類

## 1 クローン病の診断

### ❶ 診断基準

- 本疾患は原因不明で，免疫異常などの関与が考えられる肉芽腫性炎症性疾患である．主として若年者に発症し，小腸，大腸を中心に浮腫や潰瘍を認め，腸管狭窄や瘻孔など特徴的な病態が生じる．
- 厚生労働省の難治性炎症性腸管障害調査研究班で作成された診断基準（**表1**）[1]は形態学的所見と除外診断をもとに成り立っている．クローン病の確診例は，①主要所見の縦走潰瘍または敷石像を有するもの，②主要所見の非乾酪性類上皮細胞肉芽腫と副所見の消化管の広範囲に認める不整形～類円形潰瘍またはアフタ，または特徴的な肛門病変を有するもの，③副所見の消化管の広範囲に認める不整形～類円形潰瘍またはアフタ，特徴的な肛門病変，特徴的な胃・十二指腸病変すべてを有するもの，とされている．
- 縦走潰瘍は基本的に4～5 cm以上の長さで，腸管の長軸に沿った境界明瞭な潰瘍で小腸では腸間膜付着側に，大腸では結腸ひもに沿って好発する．縦走潰瘍周囲は発赤し浮腫状だが，介在粘膜は光沢や血管透見像が保たれている．
- 敷石像とは縦走潰瘍とその周辺小潰瘍間の大小不同の密集した粘膜隆起である．この隆起は粘膜下層の浮腫や炎症細胞浸潤からなり，表面は比較的平滑で粘膜面の炎症所見は急性期を除くと軽い．
- 非乾酪性類上皮細胞肉芽腫はクローン病の組織診断において特異性の高い所見であるが，腸結核などでも認められる．

### ❷ 診断のポイント

- 本症が疑われるときには，理学的検査や血液検査を行うとともに，病歴などを聴取する．次に全消化管検査を行って本症に特徴的な腸病変を確認する．典型的な画像所見を欠く場合にも非乾酪性類上皮細胞肉芽腫の証明で確診となるため積極的に生検を行う．また，MRIやCT所見は診断の参考となる．こうした検査で多くは2週間から1ヵ月の期間で診断は可能である（**図1**）．
- 10代後半から20代の若年者に好発し，慢性に続く腹痛，下痢，発熱，体重減少などが主症状である．
- 肛門病変を高頻度に合併し，その所見からクローン病と診断できることや腹部症状の発現前に肛門病変を呈する症例もあり，重要な所見である．特徴的な肛門病変は裂肛，cavitating ulcer，難治性痔瘻，肛門周囲膿瘍，浮腫状皮垂などであるが，その診断はクローン病に精通した肛門病専門医により行われることが望ましい（「3肛門病変の診断基準」参照）．
- 血液検査所見では炎症所見や貧血，血清総蛋白や総コレステロールの低下を認める．また欧米においてASCA（anti-*Saccharomyces cerevisiae* antibodies）がクローン病に特

表 1　クローン病診断の基準

1. 主要所見
    A. 縦走潰瘍[*1]
    B. 敷石像
    C. 非乾酪性類上皮細胞肉芽腫[*2]
2. 副所見
    a. 消化管の広範囲に認める不整形～類円形潰瘍またはアフタ[*3]
    b. 特徴的な肛門病変[*4]
    c. 特徴的な胃・十二指腸病変[*5]

確診例：(1) 主要所見のAまたはBを有するもの[*6]
　　　　(2) 主要所見のCと副所見のaまたはbを有するもの
　　　　(3) 副所見のa, b, cすべてを有するもの
疑診例：(1) 主要所見のCと副所見のcを有するもの
　　　　(2) 主要所見AまたはBを有するが潰瘍性大腸炎や腸管型ベーチェット病，単純性潰瘍，虚血性腸病変と鑑別ができないもの
　　　　(3) 主要所見のCのみを有するもの[*7]
　　　　(4) 副所見のいずれか2つまたは1つのみを有するもの

[*1]：腸管の長軸方向に沿った潰瘍で，小腸の場合は，腸間膜付着側に好発する．典型的には4～5cm以上の長さを有するが，長さは必須ではない．
[*2]：連続切片作成により診断率が向上する．消化管に精通した病理医の判定が望ましい．
[*3]：消化管の広範囲とは病変の分布が解剖学的に複数の臓器すなわち上部消化管（食道，胃，十二指腸），小腸および大腸のうち2臓器以上にわたる場合を意味する．典型的には縦列するが，縦列しない場合もある．また，3ヵ月以上恒存することが必要である．なお，カプセル内視鏡所見では，十二指腸・小腸においてKerckring襞上に輪状に多発する場合もある．腸結核，腸管型ベーチェット病，単純性潰瘍，NSAIDs潰瘍，感染性腸炎の除外が必要である．
[*4]：裂肛，cavitating ulcer，痔瘻，肛門周囲膿瘍，浮腫状皮垂など．Crohn病肛門病変肉眼所見アトラスを参照し，クローン病に精通した肛門病専門医による診断が望ましい．
[*5]：竹の節状外観，ノッチ様陥凹など．クローン病に精通した専門医の診断が望ましい．
[*6]：縦走潰瘍のみの場合，虚血性腸病変と潰瘍性大腸炎を除外することが必要である．敷石像のみの場合，虚血性腸病変や4型大腸癌を除外することが必要である．
[*7]：腸結核などの肉芽腫を有する炎症性疾患を除外することが必要である．

（文献1）より引用）

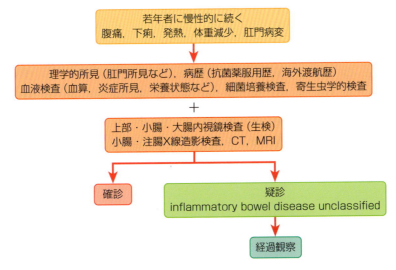

図 1　診断の手順フローチャート
（文献1）より引用）

異的な血清マーカーとされているが，わが国の陽性率は低い．
- 開腹時の所見として腸間膜付着側に認められる縦走する硬結や脂肪組織の著明な増生，腸壁の全周性硬化，腸管塊状癒着，腸間膜リンパ節腫脹などが観察される．
- 腸管合併症として腸管狭窄，腸閉塞，瘻孔（内瘻，外瘻），悪性腫瘍などがあり，腸管狭窄や腸閉塞は最も多いクローン病の手術理由である．
- 腸管外合併症として皮膚粘膜系疾患（口内アフタ，結節性紅斑）や眼疾患（ぶどう膜炎，虹彩炎），筋骨格・関節系疾患（骨粗鬆症，関節炎），肝胆道系疾患（原発性硬化性胆管炎，胆石）などがある．

### ❸ 鑑別診断
- クローン病と鑑別が必要な疾患としては腸結核，腸管型ベーチェット病，単純性潰瘍，NSAIDs潰瘍，感染性腸炎などがある．
- クローン病と潰瘍性大腸炎の鑑別困難例に対しては経過観察を行う．その際，内視鏡や生検所見を含めた臨床像で確定診断が得られない症例は inflammatory bowel disease unclassified (IBDU) とする．また，切除術後標本の病理組織学的な検索を行っても確定診断が得られない症例は indeterminate colitis (IC) とする．経過観察により，いずれかの疾患のより特徴的な所見が出現する場合がある．

## 2 クローン病の分類

### ❶ 病型分類
#### 1）病変部位による分類
- 本症の病型は主病変（縦走潰瘍，敷石像または狭窄）の存在部位により，小腸型，小腸大腸型，大腸型に分類する．
- 主病変がない場合やこれらの所見がまれな部位にのみ存在する場合は特殊型とする．特殊型には多発アフタ型，盲腸虫垂限局型，直腸型，胃・十二指腸型などがある．
- アフタはクローン病の初期病変とされ，腸管の長軸方向に沿って配列することが多く，介在粘膜には異常所見を認めない．また，上部消化管病変として胃噴門部にみられる竹の節状外観や十二指腸のKerckringひだ上に縦列するアフタは診断上重要な所見である．

#### 2）病態による分類
- 病態による分類として狭窄型，瘻孔形成型，炎症型がある．
- 欧米では診断時年齢を40歳以上と40歳未満に，病変部位を terminal ileum, colon, ileocolon, upper GI に，病態を nonstricturing nonpenetrating, stricturing, penetrating に分け，その組み合わせにより分類した Vienna 分類[2]や，さらに年齢を細分化し肛門病変の評価を追加した Montreal 分類[3]などがある．

表2　CDAI

| 項目 | 計算 |
|---|---|
| 1. 過去1週間の水様または泥状便の回数 | □□□□□□□ □の合計×2＝$X_1$ |
| 2. 過去1週間の腹痛評価の合計<br>　0＝なし，1＝軽度，2＝中等度，3＝高度 | □□□□□□□ □の合計×5＝$X_2$ |
| 3. 過去1週間の一般状態評価の合計<br>　0＝良好，1＝やや不良，2＝不良，3＝かなり不良，<br>　4＝極めて不良 | □□□□□□□ □の合計×7＝$X_3$ |
| 4. クローン病に起因すると推定される症状または所見<br>　(1)〜(6)の1項目につき1点を加算し，その合計<br>　　(1)関節炎または関節痛<br>　　(2)皮膚または口腔内病変（壊疽性膿皮症，結節性紅斑など）<br>　　(3)虹彩炎またはぶどう膜炎<br>　　(4)裂肛，痔瘻または肛門周囲膿瘍<br>　　(5)その他の瘻孔（腸膀胱瘻など）<br>　　(6)過去1週間の37.8℃を超える発熱 | □×20＝$X_4$ |
| 5. 下痢に対するロペラミドまたはオピアトの使用<br>　0＝なし，1＝あり | □×30＝$X_5$ |
| 6. 腹部腫瘤<br>　0＝なし，1＝あり | □×10＝$X_6$ |
| 7. ヘマトクリット<br>　男性＝47－ヘマトクリット値，女性＝42－ヘマトクリット値 | □×6＝$X_7$ |
| 8. 体重<br>　100×(1－[体重／標準体重]) | □×1＝$X_8$ |
|  | $CDAI = \sum_{i=1}^{8} X_i$ |

（文献5）より引用）

## ❷ 活動度分類

- クローン病の治療選択基準や治療効果判定を目的とした，いくつかの活動性評価指標がある．
- 現在，広く使用されている活動性評価指標については，2010年に難治性炎症性腸管障害に関する調査研究班より指標集が発刊され2020年には改訂二版[4]が発行された．各指標の作成目的や特徴，有効性や寛解の定義について記載されている．

### 1）臨床症状による活動性評価指標

#### ① Crohn's Disease Activity Index[5]（CDAI：表2）

- CDAIは，プラセボを対照とした治療薬の有効性を評価するために開発された指標で最も広く使用されている．7日間にわたる臨床症状（便回数，腹痛，一般状態）の評価や合併症，血液検査所見など8つの項目を組み合わせて点数化する．
- 判定基準は一般的に150点未満を寛解，150〜450点を活動期，451点以上を重症活動期とする．

#### ② Harvey-Bradshaw Index[6]（simple CDAI：表3）

- CDAIを簡便にした指標であり，1日の臨床症状の評価に基づく．1日の水様便回数でスコアが左右される点が問題となる．

# 第1章 診断と分類

**表3　simple CDAI**

1. 一般状態
   0＝良好，1＝やや不良，2＝不良，3＝かなり不良，4＝極めて不良
2. 腹痛
   0＝なし，1＝軽度，2＝中等度，3＝高度
3. 1日あたりの水様便回数
4. 腹部腫瘤
   0＝なし，1＝疑いあり，2＝あり，3＝あり，圧痛を伴う
5. 合併症（1項目につき1点とした合計）
   関節炎，ぶどう膜炎，結節性紅斑，アフタ性潰瘍，壊疽性膿皮症，裂肛，新たな瘻孔，膿瘍

simple CDAI＝合計点数

（文献6）より引用）

**表4　IOIBD score**

1. 腹痛
2. 1日6回以上の下痢あるいは粘血便
3. 肛門部病変
4. 瘻孔
5. その他の合併症
6. 腹部腫瘤
7. 体重減少
8. 38℃以上の発熱
9. 腹部圧痛
10. 10 g/100 mL 以下のヘモグロビン値

IOIBD score＝1項目につき1点とした合計点数

（文献7）より引用）

**表5　重症度分類**

|  | CDAI（表2） | 合併症 | 炎症（CRP値） | 治療反応 |
|---|---|---|---|---|
| 軽症 | 150〜220 | なし | わずかな上昇 |  |
| 中等症 | 220〜450 | 明らかな腸閉塞などなし | 明らかな上昇 | 軽症治療に反応しない |
| 重症 | 450＜ | 腸閉塞，膿瘍など | 高度上昇 | 治療反応不良 |

（文献1）より引用）

### ③ IOIBD score[7]（表4）

- The International Organization for Study of Inflammatory Bowel Disease（IOIBD）によって開発された指標である．
- 厚労省研究班による判定基準として，寛解を IOIBD score が1または0で赤沈，CRP がともに正常化の状態にあるもの，再燃を IOIBD score が2以上で赤沈，CRP がともに異常なものとしている．

### ④ 診断基準における重症度分類[1]（表5）

- 本邦の診断基準には，CDAI や合併症，炎症所見，治療反応に基づく European Crohn's and Colitis Organization（ECCO）の分類[8]に準じた重症度分類（軽症，中等症，重

表6 CDEIS

| 1. ISRCF（個々の直腸大腸セグメントに認められる深層潰瘍の頻度）[*1] $X_1 =$（深層潰瘍が認められるセグメント数[*2]）/（観察したセグメント数） | $X_1 \times 12 = Y_1$ |
|---|---|
| 2. ISRCF（個々の直腸大腸セグメントに認められる表層潰瘍の頻度） $X_2 =$（表層潰瘍が認められるセグメント数）/（観察したセグメント数） | $X_2 \times 6 = Y_2$ |
| 3. ASSU（観察セグメントあたりの病変〈潰瘍性病変を含む〉の広がり[cm]）[*3] $X_3 =$（セグメント表面における病変の広がり[cm]の和）/（観察したセグメント数） | $X_3 \times 1 = Y_3$ |
| 4. ASSU（観察セグメントあたりの潰瘍性病変[*4]の広がり[cm]） $X_4 =$（セグメント表面における潰瘍性病変の広がり[cm]の和）/（観察したセグメント数） | $X_4 \times 1 = Y_4$ |
| 5. PRES（非潰瘍性狭窄の有無） $X_5 =$観察したセグメントにおける非潰瘍性狭窄の有無 　　0＝なし，1＝あり | $X_5 \times 3 = Y_5$ |
| 6. PRES（潰瘍性狭窄の有無） $X_6 =$観察したセグメントにおける潰瘍性狭窄の有無 　　0＝なし，1＝あり | $X_6 \times 3 = Y_6$ |
| | $CDEIS = \sum_{i=1}^{6} Y_i$ |

[*1]：ISRCFは病変が認められたセグメント数を観察したセグメント数で除することによって算出する．ISRCFは，0（観察したセグメントに病変がまったく認められない）〜1（観察したセグメントすべてに病変が認められる）の値を取り得る．
[*2]：セグメント＝直腸，S状結腸および左側大腸，横行結腸，右側結腸，回腸．
[*3]：下記の粘膜病変リストに示される9項目の病変または潰瘍性病変のみが含まれる．
　　セグメント表面の病変の割合を10 cmの直線アナログスケールを用いて評価する．
　　　　0（病変または潰瘍性病変がまったく認められない）
　　　　〜10（セグメント表面のすべてに病変または潰瘍性病変が認められる）
[*4]：潰瘍性病変＝アフタ性潰瘍，表層潰瘍，深層潰瘍，潰瘍性狭窄．

【9つの粘膜病変リスト】
1. 偽ポリープ
2. 治癒した潰瘍：スリガラス様の白変部分
3. 明らかな紅斑（斑状，帯状またはびまん性）：軽度または中等度の紅斑は除外
4. 明らかな粘膜浮腫：軽度または中等度の粘膜浮腫は除外
5. アフタ性潰瘍：小さく（2〜3 mm），隆起状または平面状の赤色病変（中心部は白色）
6. 表層潰瘍：アフタ性または深層潰瘍以外のすべての潰瘍
7. 深層潰瘍：明らかな深層潰瘍のみ
8. 非潰瘍性狭窄：成人用内視鏡の通過が困難または不可能
9. 潰瘍性狭窄：成人用内視鏡の通過が困難または不可能

（文献9）より引用）

症）が記載されている．

## 2) 画像所見による活動性評価指標

### ① Crohn's Disease Endoscopic Index of Severity[9]（CDEIS：表6）

- CDEISは大腸病変を主体とした内視鏡所見に基づく．潰瘍などの粘膜病変や狭窄の広がりや有無をもとに算出する，やや煩雑な指標である．

### ② Rutgeerts score[10]（表7）

- 術後の再燃に対する内視鏡評価として，回腸大腸吻合術を施行された患者の新たに形成された回腸末端の内視鏡的重症度を判定するために使用される．
- 判定基準は2点以上を再燃，3または4点を重症再発とする．

# 第1章 診断と分類

表7　Rutgeerts score

| | [スコア] |
|---|---|
| 回腸末端に病変部位が認められない | 0点 |
| アフタ性病変数が5未満 | 1点 |
| アフタ性病変数が5以上（病変と病変の間に正常粘膜を認める）skip lesionまたは病変が回腸結腸吻合部に限局（＜1 cm）している | 2点 |
| びまん性炎症粘膜を伴う，びまん性アフタ性回腸炎 | 3点 |
| 大きな潰瘍や結節，そして/または狭窄を伴ったびまん性炎症 | 4点 |

（文献10）より引用）

表8　Fukuoka Index

**隆起性病変（敷石像または炎症性ポリープ）**
- 0点：なし
- 1点：疎な炎症性ポリープのみ
- 2点：散在性に認められるもの
- 3点：散在性と密在の中間または狭い範囲（長さ4 cm以下）に密在するもの
- 4点：比較的広範囲に密在するもの

**潰瘍性病変（縦走潰瘍，不整形潰瘍または瘢痕）**[*1]
- 0点：なし
- 1点：瘢痕
- 2点：開放性か瘢痕か不明
- 3点：潰瘍が活動性で横径が5 mm未満の縦走潰瘍または浅く幅広の不整形潰瘍
- 4点：潰瘍が活動性で横径が5 mm以上の縦走潰瘍または境界鮮明な深い幅広の不整形潰瘍

**狭窄**[*2]
- 0点：なし
- 1点：狭小部より口側の拡張がなく狭小部分の管腔幅が隣接する正常腸管の1/2以上
- 2点：口側の拡張がなく狭小部分の管腔幅が1/2以下
- 3点：管腔の狭小化が著明で口側腸管の拡張を伴う

[*1]：縦走潰瘍は長さ5 cm以上とし，5 cm未満の場合は不整形潰瘍とした．
[*2]：狭窄は十分な空気量が注入された二重造影像で判定した．

（文献11）より引用）

### ③ scoring method of evaluating for radiographic factors[11]（Fukuoka Index：表8）

- 従来，X線所見を数値化するために使用されたが，内視鏡所見にも応用している．
- 小腸は上・中・下部小腸および終末回腸の4区域に分け，大腸は盲腸，上行・横行・下行・S状結腸，直腸の6区域に分け，区域ごとに隆起性病変，潰瘍性病変，狭窄の程度をスコア化する．

（久部高司）

## 3 肛門病変の診断基準

### ❶ クローン病における肛門病変

- panintestinal disease であるクローン病において肛門部は罹患頻度が高く，病変は難治性，易再発性で，長期的な QOL の維持に肛門病変の管理は欠かせない[12]．一方，診断的には肛門病変先行例の頻度も高く[13]，初期症状としての意義のほかに潰瘍性大腸炎との鑑別にも有用である．
- 肛門部診察の手順を以下に示す．若年者には羞恥心や疼痛への恐怖心にも配慮する．

> ①肛門部症状や治療歴を訴えることは少なく，具体的に聴き出すことが問診のポイントである．
> ②局所的には視触診，直腸指診，肛門鏡検査を行う．肛門縁に生じる裂肛は見落とされがちになるため，肛門部を左右によく展開して観察する．愛護的に痛がらせないことが肝要．
> ③瘻孔は広範囲に及ぶため，陰嚢部，外陰部，臀部まで観察する．
> 　②，③については，疼痛が強い場合や肛門狭窄を伴う場合には麻酔下での検査が推奨されている（EUA：examination under anesthesia）[14]．
> ④骨盤深部への広がりを CT や MRI で確認する．

- 肛門部の診察とあわせて腸病変の罹患部位および活動性を評価する[15, 16]．
- 的確な治療法の選択には，局所ばかりでなく腸管を含めた総合的な診断が重要となる．

### ❷ クローン病における肛門病変の分類：Hughes らの分類[17]・AGA 痔瘻分類[14]（表 9）

- Hughes らの分類は病態から 3 つのカテゴリーに分けられているが，incidental lesion はまれである．

> （ⅰ）primary lesion：クローン病特有の肛門病変で肛門部に生じた潰瘍性病変（図 2）
> （ⅱ）secondary lesion：primary lesion からの機械的，物理的，感染性合併症として続発する病変（図 3）
> （ⅲ）incidental lesion：クローン病とは直接関係のない偶発的な合併病変

- AGA（American Gastroenterological Association）ではクローン病の痔瘻を独自に 2 型に分類し，肛門周囲に合併症のない低位の単発痔瘻である simple fistula を通常の痔瘻切除術の適応としている．

### ❸ 肛門病変の特徴

- 最も頻度が高いのは痔瘻・膿瘍で，裂肛・潰瘍，皮垂，肛門狭窄が続く[18]．
- 若年発症，痔瘻・膿瘍を中心に種々の病変が多発，混在することが特徴である[18]．
- 肛門部症状を初発とする症例が約 35% にみられ，若年者の肛門病変は腸病変の早期診断の手がかりとしての診断的意義もある[13, 16]．
- 難治性，易再発性で長期的には QOL に深く関わるため，局所的には侵襲的な外科治療

# 第1章 診断と分類

表9 クローン病における肛門病変の分類

| I．perianal lesions | | |
|---|---|---|
| primary lesion | secondary lesion | incidental lesion |
| anal fissure<br>cavitating ulcer<br>ulcerated edematous pile<br>aggressive ulceration | perianal abscess / fistula<br>vaginal fistula<br>skin tag<br>stricture<br>carcinoma | perianal abscess / fistula<br>skin tag<br>pile<br>cryptitis |

| II．classification of perianal fistulas | | |
|---|---|---|
|  | simple fistula | complex fistula |
| type of fistula | low inter or transsphincteric | high inter or transsphincteric<br>supra or extra sphincteric |
| external opening | single | multiple |
| perianal abscess | (−) | (＋) |
| vaginal or UB fistula | (−) | (＋) |
| rectal stenosis or proctitis | (−) | (＋) |

（I：文献17），II：文献14）より引用）

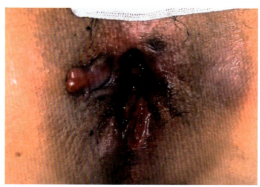
cavitating ulcer

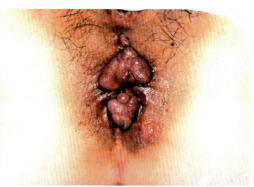
ulcerated edematous pile

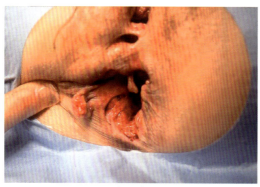
aggressive ulceration

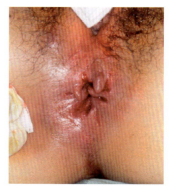
fissure・ulcer

図2 クローン病肛門病変：primary lesion

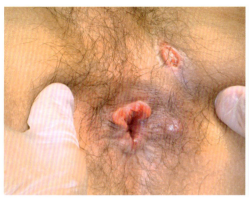
6, 9, 12時 裂肛
1, 3時 瘻孔, 9, 12時 皮垂
肛門病変初発（肛門縁の展開）

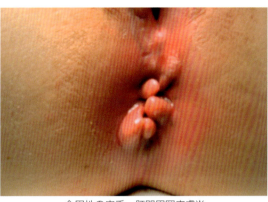
全周性の皮垂, 肛門周囲皮膚炎
裂肛, 腟瘻合併

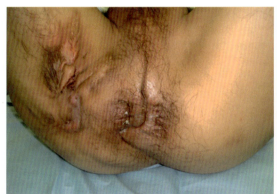
右側肛門周囲から大腿部に及ぶ
瘻孔, 膿瘍, 蜂窩織炎

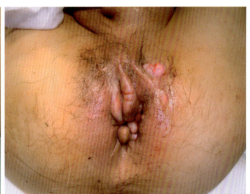
肛門部癌（中低分化腺癌）
瘻孔（1, 11時）, 皮垂（6, 7, 11時）を含め
全周性に顕著な腫脹, 硬化

図3　クローン病肛門病変：secondary lesion

は控えて，症状の軽減と長期的な肛門機能の保持を目標とした治療法を選択する．
- 長期経過例では癌化のリスクを考慮して，癌サーベイランスとしての生検を心がける[19,20]．

## ❹ クローン病診断基準としての肛門病変

- 2010年の診断基準の改訂以後，特徴的な肛門病変が副所見の1項目に加えられた[1]．
- クローン病診療の中心的役割を担う消化器内科医にとって肛門部は不慣れな領域であるため，「Crohn病肛門病変肉眼所見アトラス」[21]などを参考に，経験ある外科医あるいは肛門科医との連携が推奨されている．

**診断基準における「特徴的な肛門病変」**

裂肛，cavitating ulcer，痔瘻，肛門周囲膿瘍，浮腫状皮垂，肛門狭窄などを指す．
「Crohn病肛門病変肉眼所見アトラス」を参照し，クローン病に精通した肛門専門医による診断が望ましい．

（二見喜太郎）

## 文献

1) 潰瘍性大腸炎・クローン病 診断基準・治療指針．厚生労働科学研究費補助金 難治性疾患等政策研究事業「難治性炎症性腸管障害に関する調査研究」（鈴木班），令和元年度分担研究報告書，2020
2) Gasche C et al：A simple classification of Crohn's disease：report of the Working Party for the World Congresses of Gastroenterology, Vienna 1998. Inflamm Bowel Dis 6：8-15, 2000
3) Silverberg MS et al：Toward an integrated clinical, molecular and serological classification of inflammatory bowel disease：Report of a Working Party of the 2005 Montreal World Congress of Gastroenterology. Can J Gastroenterol 19 Suppl A：5-36, 2005
4) 平井郁仁 他：炎症性腸疾患の疾患活動性評価指標集（第二版）．厚生労働省研究費補助金 難治性疾患等政策研究事業「難治性炎症性腸管障害に関する調査研究」（鈴木班），令和2年3月，2020
5) Summers RW et al：National cooperative Crohn's disease study：results of drug treatment. Gastroenterology 77：847-869, 1979
6) Harvey RF et al：A simple index of Crohn's-disease activity. Lancet 1：514, 1980
7) Myren J et al：The O.M.G.E. multinational inflammatory bowel disease survey 1976-1982. A further report on 2,657 cases. Scand J Gastroenterol Suppl 95：1-27, 1984
8) Stange EF et al：European evidence based consensus on the diagnosis and management of Crohn's disease：definitions and diagnosis. Gut 55 Suppl 1：i1-i15, 2006
9) Mary JY et al：Development and validation of an endoscopic index of the severity for Crohn's disease：a prospective multicentre study. Group d'Etudes Thérapeutiques des Affections Inflammatoires du Tube Digestif（GETAID）. Gut 30：983-989, 1989
10) Rutgeerts P et al：Predictability of the postoperative course of Crohn's disease. Gastroenterology 99：956-963, 1990
11) 古川尚志 他：Crohn病に対する栄養療法の短期緩解率とその影響因子に関する研究．日消誌 94：813-825, 1997
12) Marzo M et al：Management of perianal fistulas in Crohn's disease: An up-to-date review. World J Gastroenterol 21：1394-1403, 2015
13) Danese S et al：Development of Red Flags Index for Early Referral of Adults With Symptoms and Signs Suggestive of Crohn's Disease: An IOIBD Initiative. J Crohns Colitis 9：601-606, 2015
14) Sandborn WJ et al：AGA technical review on perianal Crohn's disease. Gastroenterology 125：1508-1530, 2003
15) 杉田 昭 他：多発痔瘻を伴うCrohn病の治療．外科治療 96：821-828, 2007
16) 二見喜太郎 他：Crohn病における肛門病変に対する外科的治療の最前線．日本大腸肛門病学会雑誌 70：623-632, 2017
17) Hughes LE et al：Perianal disease in Crohn's disease. Allan RN et al（eds）：Inflammatory Bowel Disease（2nd ed）. Churchill Livingstone, p.351-361, 1990
18) 二見喜太郎 他：クローン病の肛門病変に対する治療．消化器外科 42：1679-1689, 2019
19) 二見喜太郎 他：クローン病における発がんとサーベイランス法．日本臨牀 76：531-536, 2018
20) Hirano Y et al：Anorectal Cancer Surveillance in Crohn's Disease. J Anus Rectum Colon 2：145-154, 2018
21) 日比紀文 他：Crohn病肛門病変肉眼所見アトラス．厚生労働科学研究費補助金 難治性疾患克服研究事業「難治性炎症性腸管障害に関する調査研究」班，平成17年度研究報告書 別冊．2006

# 第2章 検査法

## 1 上部・下部内視鏡検査

- 上部・下部内視鏡検査はクローン病の主要所見と副所見を確認するために必須である．
- クローン病患者の 60〜80％ では大腸と終末回腸が罹患する．下部内視鏡検査は，主要所見である縦走潰瘍や敷石像を確認する重要な検査法である．
- 上部・下部内視鏡検査でクローン病の初期病変であるアフタなどの小病変が診断できる．
- 内視鏡検査は，生検組織を用いて主要所見である非乾酪性類上皮細胞肉芽腫を確認し，他疾患を鑑別する点からも重要である．
- 初回診断時から狭窄や瘻孔などの高度な腸管合併症を伴うことがあるので，適応と前処置を慎重に判断し，観察が困難な場合は他の画像検査を用いる．

### ❶ 下部内視鏡所見

#### 1）基本的な考え方

- 病変は非連続性または区域性に分布し，介在部はほぼ正常である．特に回盲部が好発部位である．
- 慢性再発性に経過し，初回診断時でも活動性病変と非活動性病変が混在することがある．
- 活動性病変として，縦走潰瘍と敷石像は特徴的な内視鏡所見である．小病変としてアフタや不整形潰瘍が認められる．胃・十二指腸の小病変は上部内視鏡検査でも高率に発見される．
- 非活動性病変として，潰瘍瘢痕，炎症性ポリープ，線維性狭窄があげられる．腸管壁の全層性炎症が治癒して，治癒期に管腔狭窄をきたし内視鏡観察が困難となることがある．
- 裂溝，瘻孔，膿瘍などの合併症を内視鏡検査のみで診断することは容易ではないので，他の画像検査所見を参照する．

#### 2）活動期クローン病の内視鏡所見

①縦走潰瘍
- 腸管の長軸方向に縦走する 4〜5 cm 以上の長さの潰瘍である．短い潰瘍が腸管の長軸方向に連なることもある．
- 小腸では腸間膜付着側に 1 条の潰瘍として発生し，大腸では結腸ひもの上に複数条認められることが多い（図1）．
- 潰瘍周囲には，しばしば敷石像（玉石状の表面平滑な隆起）ないし炎症性ポリープを伴う（図2）．

②敷石像
- 多発潰瘍の介在粘膜に玉石状の隆起が多発した状態であり（図3），大小の石を敷き詰めたように見える．

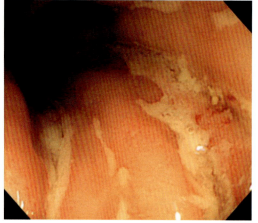

図1　大腸の縦走潰瘍

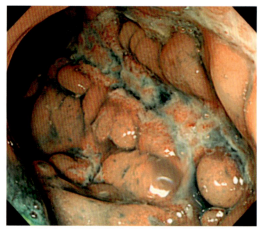

図2　辺縁隆起を伴う大腸の縦走潰瘍

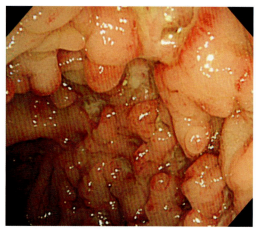

図3　上行結腸の幅広い潰瘍と敷石像

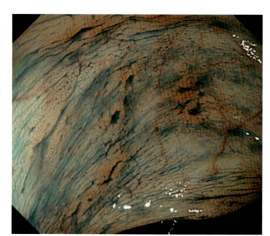

図4　横行結腸のアフタ

- 隆起表面は平滑でみずみずしく，急性期には発赤などの炎症所見を伴う．
- 通常，縦走潰瘍を伴いながら区域性に多発する．

③アフタ，不整形潰瘍
- 小病変は，クローン病の初期病変として，あるいは主病変近傍や上部消化管の随伴病変として出現し，一部がクローン病の典型像へ進展する．
- アフタは，浮腫や紅暈を伴う小びらんであるが（図4），紅暈を伴わないもの，浮腫のない平坦な病変も存在する．
- 不整形潰瘍は，周囲粘膜の変化に乏しい明瞭な粘膜欠損であり，孤在性潰瘍の様相を呈する．
- アフタ，不整形潰瘍は他の疾患でも出現し，クローン病に特徴的な所見ではない．ただし，クローン病では大腸の長軸方向に縦走配列する傾向がある．

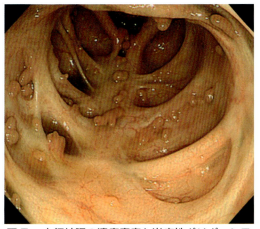
図5　上行結腸の潰瘍瘢痕と炎症性ポリポーシス

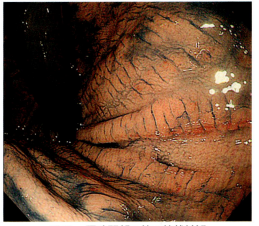
図6　胃噴門部の竹の節状外観

### 3）寛解期クローン病の内視鏡所見

- 活動期の潰瘍性病変は，線維化を伴いながら上皮に被覆され，寛解期には潰瘍瘢痕として観察される．
- 多発潰瘍瘢痕によって，偽憩室様の変形や管腔の狭小化をきたす．
- 縦走潰瘍辺縁の敷石像は平低化・不明瞭化し，その一部は炎症性ポリープとして残存する．
- 高度な活動性病変が治癒すると，炎症性ポリープが局所的に多発ないし密集し，ポリポーシス様の所見を呈する（図5）．限局性ポリポーシスと呼ばれることがある．
- アフタは寛解期には瘢痕を残さず完全に消失する．

### 4）その他の内視鏡所見

#### ①狭　窄
- クローン病では全層性炎症，あるいはその治癒に伴う線維化により管腔狭小化をきたす．
- 内視鏡が通過しない狭窄では，X線検査などによる口側腸管の評価が必要である．

#### ②裂溝・瘻孔
- 裂溝は幅の狭い切れ込み状の潰瘍である．腸壁を介して隣接臓器に穿通した場合を瘻孔と呼ぶ．
- 高度の狭窄や変形を伴うため，瘻孔開口部や瘻孔内を観察することは容易ではないが，大きな開口部は内視鏡で認識できる．また，色素散布により瘻孔を確認できる場合がある．

## ❷ 上部内視鏡所見

- 胃噴門部には竹の節状外観が，幽門前庭部には多発アフタや不整形潰瘍などが認められる（図6）．
- 十二指腸病変は球後部と第二部に好発する．多発アフタ，不整形潰瘍，ノッチ様陥凹，

結節状隆起などが認められる．

### ❸ 内視鏡的活動指数
- クローン病の内視鏡的活動指数として，Crohn's Disease Endoscopic Index of Severity（CDEIS：「第1章2-②-2) 画像所見による活動性評価指標」参照）[1]，および simplified endoscopic activity score for Crohn's disease（SES-CD）[2] がある．
- いずれも，粘膜病変の程度を罹患区域別に評価した総計で算出される．
- SES-CD は CDEIS よりも算出が簡素化された指数であるが，両者の相関は良好である[3]．

### ❹ 内視鏡検査における注意事項

#### 1) 前処置と前投薬
- 腸管洗浄液による前処置が原則であるが，全身状態不良，高度の肛門部病変，狭窄が顕著な場合は前処置に関する配慮が必要である．
- 特に高度狭窄例では腸管洗浄液が腸閉塞や穿孔の誘因となりうるので，検査の適応を含めて慎重に判断する．
- 若年者には鎮痛薬や鎮静薬を適切に使用し，苦痛や緊張の軽減に努める．ただし，過度の投与は避ける．

#### 2) 内視鏡操作
- 内視鏡挿入前に視診・指診で肛門部病変による狭窄や疼痛の有無を確認する．
- 活動期クローン病の腸壁は全層性炎症のため脆弱であり，操作方法によっては腸管損傷の原因となりうるので，愛護的な内視鏡操作を心がける．
- 終末回腸までの挿入と観察が望ましいが，患者への過度の負荷は禁物である．深部挿入にこだわらず，無理な操作を回避する．

## 2 消化管造影検査（X線検査）

- 消化管造影検査（X線検査）はクローン病の主要所見と副所見[4]の診断に重要な検査法である．
- 経口小腸 X 線検査，ゾンデ法小腸 X 線検査，内視鏡下 X 線検査，注腸 X 線検査などがあり，それぞれの特徴を熟知して使い分ける．
- X 線所見は，縦走潰瘍，敷石像，非連続性病変，瘻孔，非対称性狭窄（偏側性変形），裂溝，および多発するアフタに要約される．
- クローン病の消化管病変は広範かつ多彩であり，X 線検査と内視鏡検査を相補的に用いることが肝要である．

## ❶ クローン病に用いる X 線検査法

### 1) 小腸 X 線検査[5]

- 造影剤として硫酸バリウムを使用する．高度の狭窄が疑われる場合にはヨウ素系造影剤（ガストログラフイン®）を用いる．
- 経口小腸 X 線検査は，造影剤を経口投与し経時的に観察する検査法であり，丹念な圧迫で病変を発見する．
- ゾンデ法小腸 X 線検査は，トライツ靱帯近傍に留置した十二指腸チューブから造影剤と空気を注入して二重造影像を得る検査法である．
- 大腸内視鏡下に挿入したガイドワイヤーに沿って挿入した造影チューブ，あるいはバルーン内視鏡のオーバーチューブ内に挿入した造影チューブを用いた小腸造影は骨盤腔小腸の描出に優れる．しかし手技は煩雑である．
- バルーン内視鏡下のヨウ素系造影剤投与法も用いられる．ガストログラフイン®を用いるため微細病変は描出できないが，狭窄や瘻孔の検出に優れている．

### 2) 注腸 X 線検査

- Brown 変法で前処置を行い，経肛門的に硫酸バリウムと空気を投与して X 線像を得る．
- 狭窄があると前処置によって腸閉塞症状が誘発されるので注意する．
- クローン病の好発部位である終末回腸をある程度描出することが可能である．

## ❷ クローン病の X 線所見

### 1) 基本的な考え方

- 縦走潰瘍と敷石像はクローン病の診断基準の主要所見であり，これらの全体像を把握するために X 線検査は有用である．
- X 線検査は狭窄，瘻孔などの腸管合併症を描出するのに適している．

### 2) 活動期クローン病の X 線所見

#### ①縦走潰瘍

- 腸管の長軸方向に走行する潰瘍であり，4〜5 cm 以上に及ぶものはクローン病の特徴的所見である．
- 腸間膜付着側に好発し，圧迫像と二重造影像では細長いバリウム斑として観察される（図 7）．
- 側面像では，偏側性の硬化所見（偏側性変形）とわずかなバリウム斑，および対側腸管の弯入を伴う集中所見として描出される（図 8）．

#### ②敷石像

- 数 mm から 1 cm 大の半球状隆起が集合した所見で，X 線検査では円形ないし結節状の透亮像が集合する．区域性に多発し，介在粘膜にはバリウム斑を伴う（図 9）．
- 縦走潰瘍による偏側性変形を伴い，最も高度な部位に裂溝がバリウムの突出像として

# 第2章 検査法

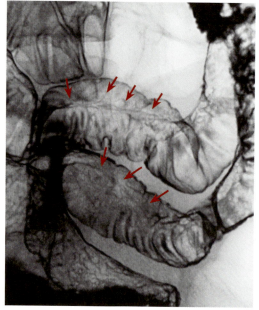

図7　回腸の縦走潰瘍

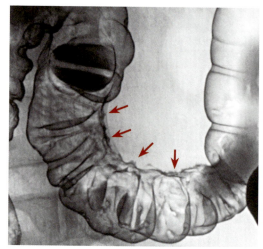

図8　横行結腸の縦走潰瘍

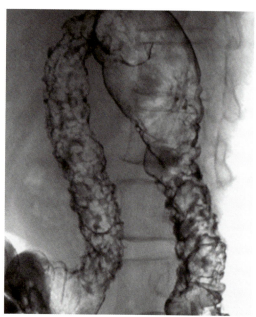

図9　下行結腸と横行結腸の敷石像

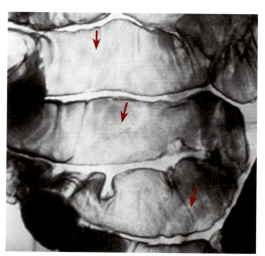

図10　回腸のアフタ

描出される．

### ③アフタとその他の小病変

- 主病変近傍の随伴病変，あるいは初期病変として食道から直腸のいずれの部位にも発生する．
- 小腸のアフタは，中心にバリウム斑を伴う数 mm の透亮像として描出される（**図10**）．

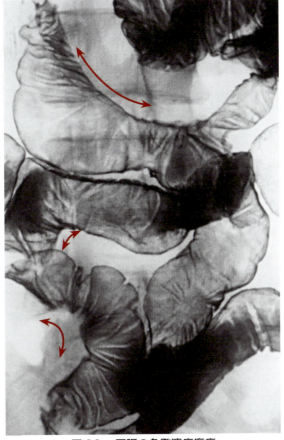

図11　回腸の多発潰瘍瘢痕

- 大腸のアフタは，小隆起，透亮像を伴う小バリウム斑，明瞭なバリウム斑など程度に差異がみられる．約30％の患者で縦走配列傾向が認められる．

### 3）寛解期クローン病のX線所見

- 縦走潰瘍の治癒により，長軸方向の変形や直線化が偏側性変形，ないし非対称性狭窄として描出され，対側の腸管壁に貝殻状，あるいは偽憩室様の変形を伴う（図11）．
- 敷石像が治癒すると，炎症性ポリープとなる．特に大腸病変で炎症性ポリポーシスが顕著となることが多い．

### 4）腸管合併症のX線所見

- 縦走潰瘍が治癒すると，非対称性狭窄となる．幅の広い潰瘍は高度狭窄に至り，口側ないし肛門側に偏側性変形を伴う．
- X線検査は内瘻の診断に有用であり，充満像で瘻孔とそれに連続する腸管の位置関係が明瞭となる．

## 3 小腸内視鏡・カプセル内視鏡

- 小腸の観察に特化した内視鏡検査法として，バルーン内視鏡 balloon-assisted endoscopy（BAE），スパイラル内視鏡，カプセル内視鏡 capsule endoscopy（CE）などがある．
- BAE と CE の導入により，X 線検査でのみ描出可能であったクローン病小腸病変の内視鏡観察が容易となった．
- BAE は下部小腸が罹患するクローン病の内視鏡検査法として優れており，内視鏡的治療も可能である．
- クローン病では腸管狭窄による CE の滞留率が高いことが示されており，その予防策と対策が必要である．

### ❶ BAE
#### 1）検査の概要

- BAE には，ダブルバルーン内視鏡 double balloon endoscopy（DBE），およびシングルバルーン内視鏡 single balloon endoscopy（SBE）の 2 つがある．
- DBE と SBE は，いずれもオーバーチューブを併用してスコープを経口的，あるいは経肛門的に深部小腸に挿入する手技である．DBE はスコープとオーバーチューブの先端に，SBE はオーバーチューブの先端のみに送・脱気可能なバルーンが装着されており，これらのバルーンを用いて腸管を短縮し，良好な深部挿入を得る．
- 前処置として経口的アプローチでは当日絶食とし，経肛門的アプローチでは下部内視鏡検査に準じた前処置を行う．

#### 2）クローン病における BAE

- クローン病では，主として経肛門的 BAE で小腸病変が詳細に観察できる．主要所見の縦走潰瘍（図 12）や敷石像（図 13）だけでなく，小病変の存在診断や潰瘍治癒の評価に有用である[6,7]．
- 検査に関する注意事項は，下部消化管内視鏡と同じである（「1-④内視鏡検査における注意事項」参照）．ただし，クローン病の小腸では潰瘍性病変，癒着，狭窄が高度な場合が多いので，BAE に際しては特に慎重な内視鏡操作を心がけ，穿孔・穿通などの偶発症を避ける．
- BAE を用いると，内視鏡的バルーン拡張術，内視鏡的止血術などの治療が可能である[6]．
- 挿入不能例では内視鏡下 X 線検査を併用して非観察部の情報を得る．

### ❷ CE
#### 1）検査の概要

- 世界で複数の機種が市販されている．いずれも，経口的に嚥下するカプセル，データレコーダ，および画像解析用コンピュータで構成されている．
- 絶食下の患者にカプセルを嚥下させ，約 8 時間カプセルが自動撮像した画像を記録し，

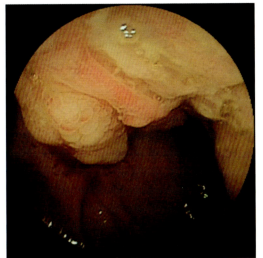

図12　回腸の幅広い縦走潰瘍

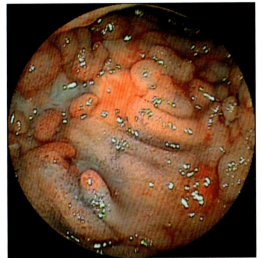

図13　回腸の縦走潰瘍と敷石像

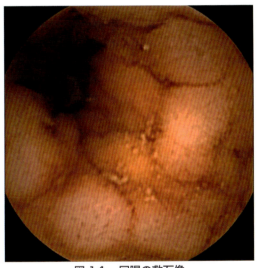

図14　回腸の敷石像

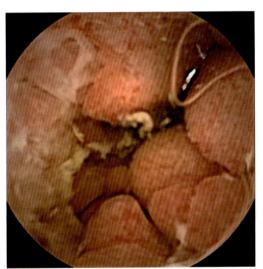

図15　回腸の敷石像と不整形潰瘍

画像解析を行う．
- 臨床的に最も重要な有害事象はカプセル滞留であり，クローン病ではCE施行前に症状とパテンシーカプセルで腸管の開通性を確認する[8]．
- 大腸用CEを用いてクローン病の全消化管を1回のCEで評価する試みもなされている[9]．

### 2）クローン病におけるCE

- クローン病ではカプセルの滞留率が高い．しかし，パテンシーカプセルによる前検査により腸管の開通性が確認された患者ではCEを施行できる．
- パテンシーカプセルで開通性が確認されても，時相の違いによりカプセルの滞留が起

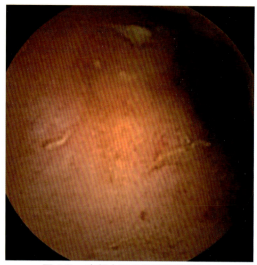
図16　中部小腸の多発線状びらん

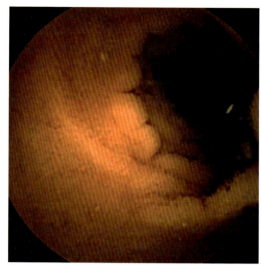
図17　空腸のノッチ様陥凹

こりうることに注意する．
- クローン病における小腸病変の陽性率はCT enterography（CTE），MR enterography（MRE），下部消化管内視鏡検査よりCEで高い．
- CEの主要所見は敷石像（図14）と潰瘍性病変（図15）に大別され，後者として不整形潰瘍と縦走潰瘍が多い．これらの主要所見は下部小腸に好発する[10]．
- CEはアフタ，線状びらん（図16），ノッチ様陥凹（図17）などの軽微な粘膜病変（副所見）の検出に優れている．これらの所見は縦走ないし輪走する傾向を示し，小腸の広範囲に認められる[10]．
- CEを用いた内視鏡的活動指数の算出法として，CECDAI（Capsule Endoscopy Crohn's Disease Activity Index）[11]とLewis score[12]があり，いずれも臨床的活動度や炎症パラメーターと比較的良好に相関する．

（松本主之）

# 4　横断的画像診断

- クローン病は慢性疾患であり，診断時に加えて十分なコントロールのため継続的に病状評価が必要であるが，MRIやCT，超音波検査といった横断的画像診断（cross-sectional imaging）は，内視鏡検査を補完するものである[13]．
- クローン病は消化管病変のみならず管外病変を伴い，これには，瘻孔や膿瘍といった消化管由来の病変だけでなく，胆石などの直接関連しないものもある．
- 横断的画像診断は，機器の性能の向上と撮影法の進歩により，管外病変のみならず，症状が現れにくくまた内視鏡診断が容易でないことも多いため看過されやすい小腸を中心とする消化管の評価にも使用されるようになってきた[14]．

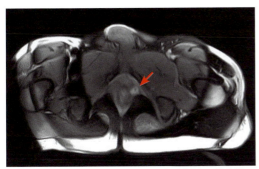

図18　MRI, 3DT1強調, 造影剤使用横断像
30代男性の肛門周囲膿瘍. 肛門部から2時方向に増強効果を示す液体貯留（→）がみられる.

表1　MREの撮影手順の例

| | |
|---|---|
| 1. | 前日就寝前にクエン酸マグネシウム 50 g ＋ 水 200 mL を服用する |
| 2. | MRE 開始1時間前から30分間かけ, ポリエチレングリコール水溶液を 1,000～1,500 mL 内服する |
| 3. | MRE を撮像する |

表2　MRE シークエンスの例

| | |
|---|---|
| 1. T2 強調像 | single-shot TSE/FSE<br>（ベンダー呼称：SSFSE, SSTSE, HASTE, FASE）<br>① 2D　冠状断<br>② 2D　横断<br>③ 2D　冠状断または横断 |
| 2. Balanced SSFP | 2D　冠状断<br>（ベンダー呼称：FIESTA, bFFE, TrueFISP, SSFP） |
| 3. 脂肪抑制 3DT1 強調 | 3D gradient echo<br>（ベンダー呼称：LAVA/LAVAF, THRIVE, VIBE, FAME）<br>① 3D　冠状断<br>②造影剤注射後　3D　冠状断<br>③ 3D　横断 |

- 横断的画像診断は, 縦走潰瘍や敷石所見といったクローン病の特徴的所見が捉えにくく, 確定診断に使用することは困難である.

### ❶ MRI（図18～22）

- 放射線被曝がないため, 繰り返し検査を行うモニタリングに適している.
- 組織分解能が高い.
- 液体を投与して腸管腔を拡張させることにより粘膜の評価が可能である（**表1, 2**）.
- 拡張剤を経口投与する MR enterography（MRE）と経管投与をする MR enteroclysis とがあるが, 両者の診断能に差はないとされている.
- 複数のシークエンスを組み合わせて行い評価する[15].
- シネ MRI による動画撮影も可能であり, 炎症による蠕動の低下が評価できる.
- 活動性の評価には magnetic resonance index of activity（MaRIA）[16] や, MR enterocolonography（MREC）スコアがある[17].
- MRE は, 小腸内視鏡との比較から炎症の観察や予後予測には有用だが[18], 狭窄性病変の評価は不十分であることが示されている[19].

# 第2章 検査法

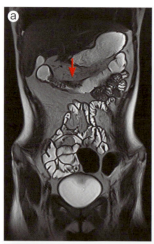
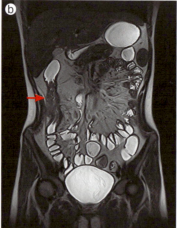
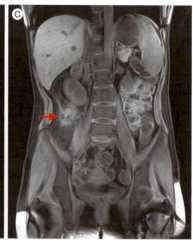
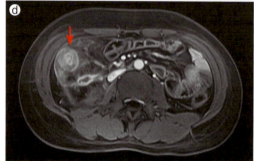

図19　MR enterocolonography：20代女性
a．T2冠状断像．横行結腸の壁肥厚，潰瘍形成（→）がみられる．
b．T2冠状断像．上行結腸の壁肥厚，潰瘍形成（→）がみられる．
c．3DT1強調冠状断像．上行結腸間膜に膿瘍形成（→）がみられる．
d．3DT1強調造影剤使用横断像．上行結腸の壁肥厚（→）がみられる．

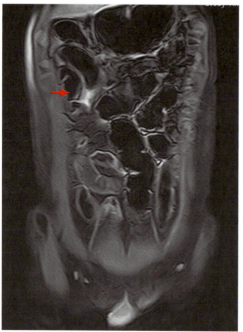

図20　MR enterography，3DT1強調冠状断像
30代男性の回腸狭窄．壁内浮腫を伴う壁肥厚，粘膜面優位の増強効果がみられる．

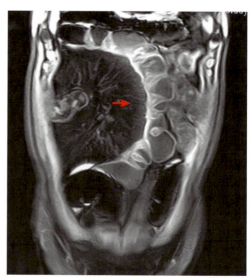

図21　MR enterography，3DT1強調冠状断像
50代男性．近位回腸に片側性変形，壁肥厚，多発狭窄が認められる．

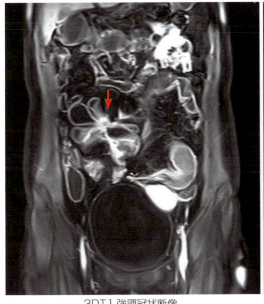 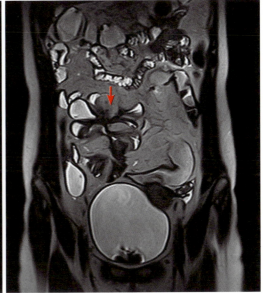

3DT1強調冠状断像.　　　　　　　　　T2冠状断像.

**図22　MR enterocolonography**
40代女性．回腸に癒着，牽引像（→）がみられ，瘻孔形成が疑われる．壁内浮腫，増強効果（→）がみられる．

- 造影剤を使用しない diffusion-weighted imaging（DWI）も行われる．
- 欠点として，MRE は多量の液体の内服が必要であること，撮影に時間がかかることがある．

### ❷ 超音波検査（図23～25）

- 簡便で忍容性が高く，繰り返しの検査が可能である[20]．
- 動的な把握が可能である．
- 組織コントラストが高い．
- 炎症があると壁肥厚や血流増加が観察される．
- 狭窄があると，液体の貯留が観察される．
- カラードプラ法で血流を評価でき，炎症による血流増加が観察される．
- 液体で管腔を満たして検査を行うことも可能である．
- 課題としては，術者の技量に依存することがある．
- 陽性所見は認識しやすいが，病変がないことの確認には使用しにくい．

### ❸ CT（図26, 27）

- 空間分解能が高いため，詳細な観察が可能である．
- 検査のアクセスがよいため，早急な対応が必要なときによく施行される．
- モニタリングにも有用である．
- 被曝が不可避であるが，低線量化が図られている．

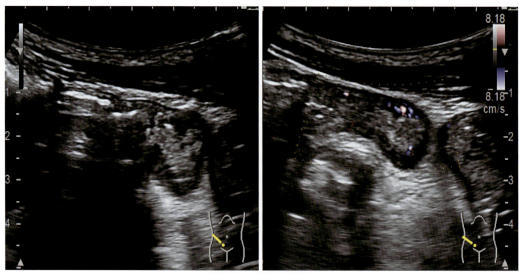

**図23　超音波検査**
20代男性．回腸終末部の壁肥厚と血流増加がみられる．

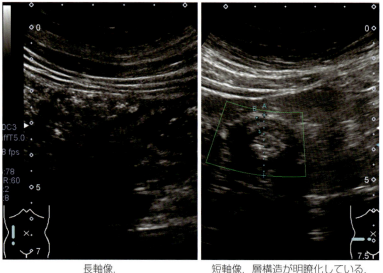

**図24　超音波検査**
50代女性．回腸壁が肥厚している．

長軸像．　　　短軸像．層構造が明瞭化している．

- 水平断のみならず，画像合成により，前額断像や立体像の構築も可能である．
- MRIと同様に，ポリエチレングリコール水溶液やクエン酸マグネシウム水溶液といった拡張剤を投与して撮像することにより粘膜の評価が容易となる[21]．小腸の描出には投与経路から経口投与するCT enterography（CTE）と経管投与をするCT enteroclysisとがある．
- 炎症があると，造影効果や腸壁の肥厚がみられる[22]．
- 希釈したアミドトリゾ酸ナトリウムメグルミン液を経口投与した後に撮像する瘻孔造影ができる．

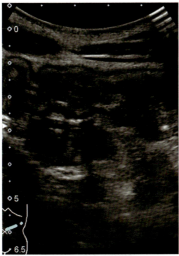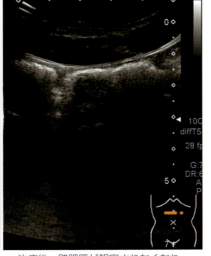

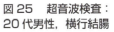

図25　超音波検査：20代男性，横行結腸

治療前．　　　治療後．壁肥厚が観察されなくなり，腸管ガスがみられる．

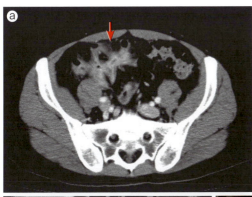

図26　CT：30代男性
a．造影CT．回腸に造影効果を伴う腸管の集簇，壁肥厚がみられ（→）瘻孔形成が疑われる．
b．内腔狭窄と口側拡張がみられる（→）．
c．ポリエチレングリコールで6倍希釈したアミドトリゾ酸ナトリウムメグルミン液200 mLを20分ごとに3回服用して20分後に撮影し作成したenema像．
d．回腸末端部を部分構築すると変形と瘻孔形成が認められる．

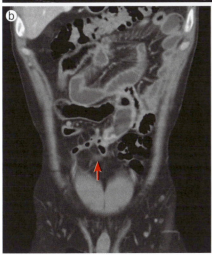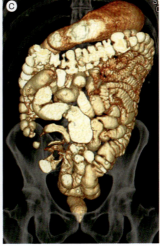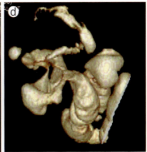

# 第2章 検査法

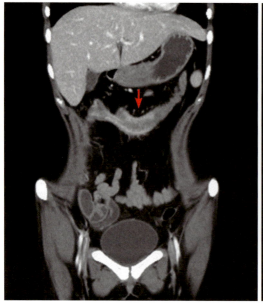
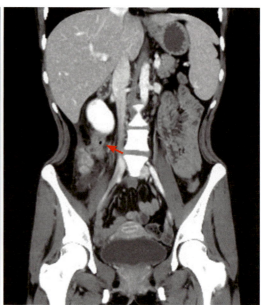

横行結腸に造影効果を伴う壁肥厚，腸間膜血管拡張（comb sign：→）がみられる．　上行結腸に連続して膿瘍があり内腔に気体（→）がみられる．

**図27　CT：20代女性**

（大塚和朗）

## 文献

1) Mary JY et al：Development and validation of an endoscopic index of the severity for Crohn's disease：a prospective multicentre study. Group d'Etudes Thérapeutiques des Affections Inflammatoires du Tube Digestif (GETAID). Gut 30：983-989, 1989
2) Daperno M et al：Development and validation of a new, simplified endoscopic activity score for Crohn's disease. The SES-CD. Gastrointest Endosc 60：505-512, 2004
3) Sipponen T et al：Endoscopic evaluation of Crohn's disease activity：Comparison of the CDEIS and the SES-CD. Inflamm Bowel Dis 16：2131-2136, 2010
4) クローン病診断基準（2020年1月改訂）．潰瘍性大腸炎・クローン病 診断基準・治療指針．厚生労働科学研究費補助金 難治性疾患等政策研究事業「難治性炎症性腸管障害に関する調査研究」（鈴木班），令和元年度分担研究報告書，27-28，2020
5) 松本主之 他：小腸疾患：診断と治療の進歩Ⅰ．診断法の進歩1．小腸X線検査．日内会誌 100：23-28, 2011
6) Yamamoto H et al：Clinical Practice Guideline for Enteroscopy. Dig Endosc 29：519-546, 2017
7) Bourreille A et al：Role of small-bowel endoscopy in the management of patients with inflammatory bowel disease：an international OMED-ECCO consensus. Endoscopy 41：618-637, 2009
8) Nakamura M et al：Tag-less patency capsule for suspected small bowel stenosis：A nationwide multicenter prospective study in Japan. Dig Endosc (E-pub), 2020. doi：10.1111/den.13673
9) Leighton JA et al：Comparing diagnostic yield of a novel pan-enteric video capsule endoscope with ileocolonoscopy in patients with active Crohn's disease：a feasibility study. Gastrointest Endosc 85：196-205, 2017

10) Esaki M et al：Capsule endoscopy findings for the diagnosis of Crohn's disease：a nationwide case-control study. J Gastroenterol 54：249-260, 2019
11) Niv Y et al：Validation of the Capsule Endoscopy Crohn's Disease Activity Index（CECDAI or Niv score）：a multicenter prospective study. Endoscopy 44：21-26, 2012
12) Gralnel IM et al：Development of a capsule endoscopy scoring index for small bowel mucosal inflammatory change. Aliment Pharmacol Ther 27：146-154, 2008
13) Gomollón F et al：3rd European evidence-based consensus on the diagnosis and management of Crohn's Disease 2016：Part 1：diagnosis and medical management. J Crohns Colitis 11：3-25, 2017
14) Allocca M et al：Use of cross-sectional imaging for tight monitoring of inflammatory bowel diseases. Clin Gastroenterol Hepatol 18：1309-1323, 2020
15) 鈴木康夫 他：クローン病 MR enterography（MRE）アトラス．厚生労働科学研究費補助金 難治性疾患等政策研究事業「難治性炎症性腸管障害に関する調査研究」（鈴木班）．2017
16) Rimola J et al：Magnetic resonance for assessment of disease activity and severity in ileocolonic Crohn's disease. Gut 58：1113-1120, 2009
17) Kitazume Y et al：Crohn Disease: A 5-Point MR Enterocolonography Classification Using Enteroscopic Findings. AJR Am J Roentgenol 212：67-76, 2019
18) Takenaka K et al：Utility of magnetic resonance enterography for small bowel endoscopic healing in patients with Crohn's disease. Am J Gastroenterol 113：283-294, 2018
19) Takenaka K et al：Comparison of magnetic resonance and balloon enteroscopic examination of the small intestine in patients with Crohn's disease. Gastroenterology 147：334-342, 2014
20) Calabrese E et al：Bowel ultrasonography in the management of Crohn's disease. A review with recommendations of an international panel of experts. Inflamm Bowel Dis 22：1168-1183, 2016
21) Arai T et al：Level of Fecal Calprotectin Correlates With Severity of Small Bowel Crohn's Disease, Measured by Balloon-assisted Enteroscopy and Computed Tomography Enterography. Clin Gastroenterol Hepatol 15：56-62, 2017
22) Nehra AK et al：Imaging Findings of Ileal Inflammation at Computed Tomography and Magnetic Resonance Enterography：What do They Mean When Ileoscopy and Biopsy are Negative? J Crohns Colitis 14：455-464, 2020

# 第3章 病理

## はじめに

- 炎症性腸疾患の診断には肉眼所見が重要であり，縦走潰瘍と敷石像はクローン病の特徴的肉眼像であり診断基準項目でもある．
- クローン病では，縦走潰瘍や敷石像以外にも多彩な像を呈するので，その肉眼像に対応する組織像の理解が鑑別診断上，有用である．
- 手術材料では，腸管壁全層の広範囲な観察が可能であるため診断は容易であることが多いが，生検では表層部（粘膜〜粘膜下層）のみで，狭い領域の情報では潰瘍性大腸炎などとの鑑別がしばしば困難である．
- クローン病では，類上皮細胞肉芽腫の出現は最も重要な組織所見であるが，結核などでも出現するので，それぞれの疾患に特徴的な肉芽腫像を理解し鑑別する．
- 胃における focally enhanced gastritis（FEG）は特異的所見ではないが，クローン病で高頻度にみられる特徴的組織所見である．

## 1 腸管病変の組織像の特徴 [1, 2]

- クローン病において，壁全層性炎症は特徴的で重要な組織所見であり，粘膜から漿膜層までのすべての層にわたるリンパ球の集簇を主体とした炎症である（図1a）．深い潰瘍部では全層性炎症をきたすのは当然なので，潰瘍部以外の腸壁での炎症の状態を評価する必要がある．また，粘膜から粘膜下層の炎症は，炎症細胞の密度が不均一な非連続性炎症を示し，粘膜から粘膜下層での炎症がより高度な場合が多いが，潰瘍性大腸炎と同様なびまん性炎症をきたすこともある．
- クローン病ではUl-II〜IVまでの深さのさまざまな形態の潰瘍を生じるが，粘膜に垂直方向にナイフで切り込んだような裂溝（fissuring ulcer）がクローン病に特異的である（図1b）．通常は繰り返す潰瘍とその治癒過程での肉芽組織増生と線維化により腸壁は肥厚している．潰瘍が漿膜側に及ぶと穿通性潰瘍や瘻孔（fistula）を形成し，近接した腸管や腹膜に癒着する．
- 非乾酪性類上皮細胞肉芽腫の出現も重要な組織所見の一つである（図1c）．これは腫大して上皮様細胞となった組織球の集簇巣であり，腸壁全層に分布するがリンパ濾胞周囲やリンパ管・血管周囲，アウエルバッハ神経叢周囲に多く出現する．類上皮細胞肉芽腫は腸結核やエルシニア腸炎でもみられるが，典型的なものでは前者は乾酪壊死を，後者では中心に膿瘍を伴うことで鑑別可能である．
- 拡張したリンパ管内に類上皮細胞の集簇（閉塞性肉芽腫性リンパ管炎：図1d）を認めることがあり，クローン病の特徴的かつ重要な所見である．

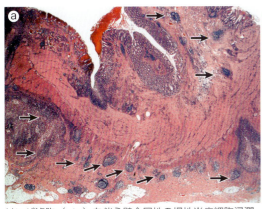
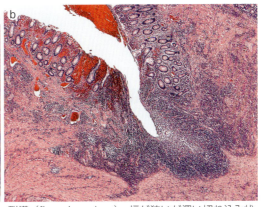

a リンパ濾胞（→）を伴う壁全層性の慢性炎症細胞浸潤．　b 裂溝（fissuring ulcer）．幅が狭いが深い切れ込み状の潰瘍．

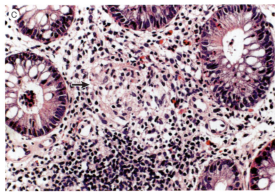
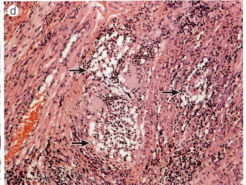

c 非乾酪性類上皮細胞肉芽腫（→）を粘膜固有層に認める．　d 閉塞性肉芽腫性リンパ管炎の像．拡張したリンパ管内に類上皮細胞が浮遊している（→）．

**図1　クローン病における腸管病変の特徴的組織像**

## 2　組織像と肉眼像の対応 [1〜4]

- クローン病では，縦走潰瘍，敷石像（cobble stone appearance），密集性の炎症性ポリポーシス，腸管狭窄，腸壁肥厚，瘻孔，アフタなどが特徴的である（図2）．実際の症例ではその肉眼像は多彩であるので，その基本的組織像から特徴的肉眼像に対応した組織像を十分理解する必要がある．

- 通常クローン病では，病変が非連続性または区域性に生じる．すなわち，病変と病変の間には正常粘膜が介在して飛び飛びに多発する（skip lesions）．その非連続性病変の最小単位はアフタであり，その組織像は，リンパ濾胞の過形成性と非乾酪性類上皮細胞肉芽腫を伴う活動性炎症である．そして，この活動性炎症が高度になると幅の狭い領域で深い潰瘍をきたして裂孔を生じる．このような炎症が領域性をもって比較的近接して起こると，潰瘍と潰瘍の間の残存粘膜には浮腫や再生性過形成をきたし，炎症性ポリポーシスや敷石像を呈するようになる．さらに潰瘍部では線維化をきたして腸管の狭窄も伴うようになる．縦走潰瘍は小腸では腸間膜側に，大腸では結腸ひもに沿って発生し，最

# 第3章 病理

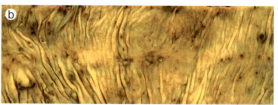

小腸の腸間膜付着側に縦走潰瘍を認め，小ポリープの集簇（敷石像）もみられる．

大腸のアフタの多発を示す．一部縦列に配列する．

図2　クローン病の肉眼的特徴

も重要な肉眼所見である．非連続性のアフタもしばしば縦列に配列することがあり，アフタや小潰瘍の融合で形成されると考えられる．

## 3 クローン病診断における生検診断 [1, 2, 5, 6]

- 炎症性病変の生検組織診断は，基本的には臨床所見（内視鏡像など）とあわせて行われるべきであるが，逆に臨床像に惑わされないことも重要である．組織像を評価する場合には，①まず特異的な感染症（ウイルス，原虫など）や特徴的所見を有する腸炎（虚血性腸炎，粘膜脱症候群，好酸球性腸炎など）を除外し，②inflammatory bowel disease（IBD）かnon-IBDに分類する，という手順で進めていく．
- IBDという用語はクローン病か潰瘍性大腸炎およびこれらの鑑別が困難なindeterminate colitisに限定して用いるのが一般的である．クローン病において一部にでもびまん性炎症の像（びまん性発赤）を認めた場合に潰瘍性大腸炎と同様の組織像を示すことがあるので，まずはIBDかnon-IBDかという振り分けをする．
- IBDに特徴的所見である粘膜深層のリンパ・形質細胞浸潤（basal plasmacytosis）と陰窩膿瘍（crypt abscess）を伴う密な慢性活動性炎症および陰窩のねじれ（crypt distortion）がみられ，さらに非乾酪性類上皮細胞肉芽腫を認める場合に限ってクローン病と診断する．
- ただし，クローン病ではリンパ濾胞部に限局した活動性炎症あるいは斑状（非連続性／非びまん性）の慢性活動性炎症（図3）のみでIBDに特徴的像を認めないことが多く，その場合は潰瘍性大腸炎との鑑別は容易である．
- 肉芽腫の出現はクローン病の診断では重要であるが，肉芽腫はさまざまな疾患で出現するので，肉芽腫のみに頼りすぎると誤診する危険がある．潰瘍性大腸炎において陰窩破壊に伴う肉芽腫（cryptolytic granuloma）は高頻度にみられるので，特に注意が必要である．

## 4 クローン病の胃病変 [7, 8]

- クローン病の胃病変には，発赤・びらん（アフタ，疣状病変），顆粒状変化，潰瘍など

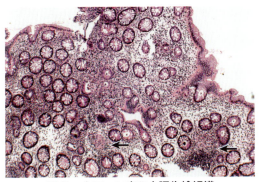

**図3　クローン病の大腸生検組織**
粘膜内には不均一に分布する慢性炎症細胞浸潤を認め，リンパ球集簇部には非乾酪性類上皮細胞肉芽腫もみられる（→）．

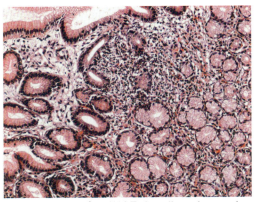

**図4　クローン病における focally enhanced gastritis**
局所的にリンパ球の集簇を主体とした慢性活動性炎症を認め，腺管の破壊も伴う．このような部分では非乾酪性類上皮細胞肉芽腫をしばしば認める．

さまざまな病変がみられるが，竹の節状外観（bamboo joint-like appearance）という特徴的病変がクローン病患者で高頻度にみられる．
● 組織学的には非乾酪性類上皮細胞肉芽腫は胃を含む全消化管に出現するが，focally enhanced gastritis（FEG）と呼ばれるリンパ球と好中球，組織球が局部に集簇する炎症性変化（**図4**）が，クローン病で高頻度に出現する特徴的な胃病変であり，肉芽腫が検出されない場合の組織診断に有用である．

（八尾隆史）

## 文献

1) Day DW et al：Morson and Dawson's Gastrointestinal Pathology（4th ed）．Blackwell, p.288-298, 504-509, 2003
2) Talbot I et al：Biopsy Pathology in Colorectal Disease（2nd ed）．Hodder Arnold, 2006
3) 八尾隆史：大腸の炎症性疾患─肉眼所見の読み方．病理と臨床 26：776-783, 2008
4) 八尾隆史 他：内視鏡医のための腸管病理組織学入門「大腸　炎症（Crohn病）」．G.I.Research 17：159-163, 2009
5) 田中正則：大腸の炎症性疾患─生検診断のアルゴリズム．病理と臨床 26：784-794, 2008
6) 池田圭祐 他：大腸炎症性疾患の病理診断─肉芽腫の鑑別を中心に．病理と臨床 26：795-802, 2008
7) Oberhuber G et al：Focally enhanced gastritis：a frequent type of gastritis in patients with Crohn's disease. Gastroenterology 112：698-706, 1997
8) 八尾隆史 他：Crohn病の胃病変の病理組織学的特徴─特に内視鏡像との対比によるその発生から進展様式の解析．胃と腸 42：383-392, 2007

# 第4章 内科治療

## 1 基本的な考え方

- クローン病は原因不明の炎症性腸疾患であり，根本的な治療はないが，近年病因・病態の解明に関する研究が進んでいる．腸内細菌や食事などの環境因子が引き金となり，腸管を中心とした免疫の過剰・異常反応が生じ，炎症が惹起・維持されると考えられている．したがって，治療法としては環境因子を改善させる栄養療法と免疫異常を是正させる薬物療法が中心となっている．

- 発症早期より腸管狭窄や瘻孔などを呈することがあり，進行性に消化管機能の低下をきたす．そのため治療目標として，症状の改善だけではなく，炎症の改善・消失を図ることが重要であり，長期予後の改善と関係した「粘膜治癒」を達成することが重要である．一般的に粘膜治癒は内視鏡などの画像検査で潰瘍がない状態と考えられているが，明確な定義はない．

- 令和元年度のクローン病治療指針を**表1**に示す[1]．現行の治療指針では寛解導入療法，寛解維持療法，肛門病変に対する治療，狭窄・瘻孔の治療，術後再発予防に対する治療が分けて記載されている．

- クローン病の発症・増悪に喫煙が関与することより，禁煙指導を行うことが重要である．

- 寛解導入療法としては，軽症から中等症であればブデソニド（ゼンタコート®），5-アミノサリチル酸（5-ASA）製剤（メサラジン：ペンタサ®）が使用される．ブデソニドは小腸および結腸近位部にて放出するように設計された腸溶性徐放製剤であり，腸管局所で強力な抗炎症作用を発揮するが，肝臓で速やかに代謝を受けやすいため，全身への作用は弱い特徴を有する．したがって病変の主座が回腸末端から右側結腸にある場合には第一選択として使用されることが多い．病変の中心が大腸である場合にはサラゾスルファピリジン（サラゾピリン®）を使用することもある．栄養療法として成分栄養剤（エレンタール®），消化態栄養剤（ツインライン®NFなど）を用いる．栄養療法は発症初期では比較的忍容性がよいので，診断がついた時点で食事指導を含めた栄養療法を導入することも検討することが大切である．

- 中等症から重症の症例では薬物療法として経口ステロイド（プレドニゾロン）を用いるが，わが国では副作用の懸念や長期予後を改善させないことより，使用されない場合も多い．またステロイド離脱困難な場合にはチオプリン製剤［アザチオプリン（AZA）］を使用する．

- ステロイドや栄養療法で無効・不耐の場合には抗TNF-α抗体製剤（インフリキシマブ：レミケード®，アダリムマブ：ヒュミラ®），抗インターロイキン(IL)-12/23p40抗体製剤（ウステキヌマブ：ステラーラ®），抗インテグリン抗体製剤（ベドリズマブ：エンタイビオ®）が使用される．これら3つの異なる機序を有する薬剤の治療選択の基準は明確ではない．

表1 クローン病治療指針（令和元年度 改訂版）

| 活動期の治療（病状や受容性により，栄養療法・薬物療法・あるいは両者の組み合わせを行う） | | |
|---|---|---|
| 軽症～中等症 | 中等症～重症 | 重症（病勢が重篤，高度な合併症を有する場合） |
| **薬物療法**<br>・ブデソニド<br>・5-ASA 製剤<br>　ペンタサ®顆粒/錠<br>　サラゾピリン®錠（大腸病変）<br>**栄養療法（経腸栄養療法）**<br>許容性があれば栄養療法<br>経腸栄養剤としては<br>・成分栄養剤（エレンタール®）<br>・消化態栄養剤（ツインライン®など）<br>を第一選択として用いる<br><br>※受容性が低い場合は半消化態栄養剤を用いてもよい<br>※効果不十分の場合は中等症～重症に準じる | **薬物療法**<br>・経口ステロイド（プレドニゾロン）<br>・抗菌薬（メトロニダゾール\*，シプロフロキサシン\*など）<br>※ステロイド減量・離脱が困難な場合：アザチオプリン，6-MP\*<br>※ステロイド・栄養療法が無効/不耐な場合：インフリキシマブ・アダリムマブ・ウステキヌマブ・ベドリズマブ<br>**栄養療法（経腸栄養療法）**<br>・成分栄養剤（エレンタール®）<br>・消化態栄養剤（ツインライン®など）<br>を第一選択として用いる<br>※受容性が低い場合は半消化態栄養剤を用いてもよい<br>**血球成分除去療法の併用**<br>・顆粒球吸着療法（アダカラム®）<br>※通常治療で効果不十分・不耐で大腸病変に起因する症状が残る症例に適応 | 外科治療の適応を検討したうえで以下の内科治療を行う<br>**薬物療法**<br>・ステロイド経口または静注<br>・インフリキシマブ・アダリムマブ・ウステキヌマブ・ベドリズマブ（通常治療抵抗例）<br>**栄養療法**<br>・経腸栄養療法<br>・絶食のうえ，完全静脈栄養療法（合併症や重症度が特に高い場合）<br>※合併症が改善すれば経腸栄養療法へ<br>※通過障害や膿瘍がない場合はインフリキシマブ・アダリムマブ・ウステキヌマブ・ベドリズマブを併用してもよい |

| 寛解維持療法 | 肛門病変の治療 | 狭窄/瘻孔の治療 | 術後の再発予防 |
|---|---|---|---|
| **薬物療法**<br>・5-ASA 製剤<br>　ペンタサ®顆粒/錠<br>　サラゾピリン®錠（大腸病変）<br>・アザチオプリン<br>・6-MP\*<br>・インフリキシマブ・アダリムマブ・ウステキヌマブ・ベドリズマブ<br>**在宅経腸栄養療法**<br>・エレンタール®，ツインライン®などを第一選択として用いる<br>※受容性が低い場合には半消化態栄養剤を使用してもよい<br>※短腸症候群など，栄養管理困難例では在宅中心静脈栄養法を考慮する | まず外科治療の適応を検討する<br>ドレナージやシートン法など<br><br>**内科的治療を行う場合**<br>・痔瘻・肛門周囲膿瘍：メトロニダゾール\*，抗菌薬・抗生物質，インフリキシマブ・アダリムマブ・ウステキヌマブ<br>・裂肛，肛門潰瘍：腸管病変に準じた内科的治療<br>・肛門狭窄：経肛門的拡張術 | 【狭窄】<br>まず外科治療の適応を検討する．<br>・内科的治療により炎症を沈静化し，潰瘍が消失・縮小した時点で，内視鏡的バルーン拡張術<br><br>【瘻孔】<br>まず外科治療の適応を検討する<br>・内科治療（外瘻）としてはインフリキシマブ　アダリムマブ　アザチオプリン | 寛解維持療法に準ずる薬物療法<br>・5-ASA 製剤<br>　ペンタサ®顆粒/錠<br>　サラゾピリン®錠（大腸病変）<br>・アザチオプリン<br>・6-MP\*<br><br>**栄養療法**<br>・経腸栄養療法<br>※薬物療法との併用も可 |

\*：保険適用外．
※（治療原則）内科治療への反応性や薬物による副作用あるいは合併症などに注意し，必要に応じて専門家の意見を聞き，外科治療のタイミングなどを誤らないようにする．薬用量や治療の使い分け，小児や外科治療など詳細は本文を参照のこと．

（文献1）より引用）

# 第4章　内科治療

- 病態が重篤，狭窄による腸閉塞・瘻孔・膿瘍などの高度な合併症を有する場合には入院のうえ絶食，経腸栄養療法や完全静脈栄養療法が行われる．膿瘍を有する場合には手術を要するが，抗菌薬や経皮的ドレナージを先行させ，感染をコントロールしてから手術を行うこともある．
- 維持療法としては，基本的に寛解導入された治療法で維持する．ただしステロイドの維持効果はないことや副作用の観点からステロイドは3ヵ月程度を目途に離脱を図る．ただし離脱困難な場合にはチオプリン製剤を使用する．近年，高度の骨髄抑制や脱毛をきたす患者において NUDT15 遺伝子多型と関係することが明らかになっており，治療前には検査を行う（「4 免疫調節薬」参照）．
- 肛門病変や狭窄・瘻孔病変についてはまず外科治療の適応を検討する必要があるが，肛門周囲膿瘍については抗菌薬の使用，また排膿がなされた複雑瘻孔のない病変については生物学的製剤の使用を行う．狭窄部については，深い潰瘍がなく3～5 cm 以下の狭窄の場合には内視鏡的バルーン拡張術を行うことにより手術を回避できることもある．
- 術後の再燃予防については基本的には維持療法に準じた治療を行う．わが国の治療指針には抗 TNF-α 抗体製剤などの生物学的製剤の再燃予防に関する記載はないが，複数回手術既往，広範な腸管切除を要した場合など予後不良が予測される症例については，術後抗 TNF-α 抗体製剤を導入することが多い．
- 海外の研究では手術6ヵ月後の内視鏡所見により抗 TNF-α 抗体製剤の治療介入・強化を行った症例のほうが，内視鏡を行わなかった症例より，18ヵ月目の粘膜治癒率が高いという報告がある[2]．また内視鏡所見やバイオマーカーの値に応じて治療介入を行った例のほうが行わなかった例より予後が良いという研究も報告されているが[3]，無症状で内視鏡的活動性を有する症例に対する治療介入については，保険適用の問題やわが国におけるエビデンスがないこともあり，現時点では慎重に検討されるべきである．

## 2　5-ASA 製剤

### ❶ 薬剤の種類

- 現在クローン病に対する適応があるのは時間依存性5-ASA（メサラジン：ペンタサ®）とサラゾスルファピリジン（サラゾピリン®）である．サラゾピリン®は大腸病変を有する症例を中心に使用される．

### ❷ 作用機序

- 5-ASA 製剤は腸管局所で治療効果を及ぼすとされている．主な作用機序として炎症性細胞から放出される活性酸素を消去し，炎症の進展と組織の障害を抑制すること，およびロイコトリエン $B_4$（$LTB_4$）の生合成を抑制し，炎症性細胞の組織への浸潤を抑制することにより炎症を改善させる（添付文書）．また肥満細胞からのヒスタミン遊離抑制作用，血小板活性化因子（PAF）の生合成抑制作用，IL-1β の産生抑制作用が一部関与している．

- ペンタサ®は被膜が小腸に入ると時間依存性に放出され，小腸から大腸の炎症を抑制する．サラゾピリン®は有効成分である 5-ASA とスルファピリジンがアゾ結合で結合しているが，腸内細菌により結合部が乖離し，5-ASA 成分が主に大腸で放出される．
- 潰瘍性大腸炎では組織中の 5-ASA 濃度が疾患活動性と関係しているという研究があるが，クローン病では明らかではない．

## ❸ クローン病に対する適応

- わが国の治療指針では 5-ASA 製剤が 3 g/日までが保険適用であること，大腸型ではサラゾピリン®（4 g/日までが保険適用）でもよいと記載されている．また寛解維持療法や外科手術の再燃予防の治療法としても記載されている．
- 一方で European Crohn's and Colitis Organization（ECCO）のガイドラインではメタアナリシスでクローン病に対する寛解導入および維持効果が否定的であることより，使用しないことを推奨することが記載されている[4]．
- わが国では保険適用があること，経験的には有用な症例も存在することより，高度狭窄，瘻孔のない腸管病変に対して，特に活動性が低い症例を中心に使用されている．

> **処方例**
> - 成人：ペンタサ® 1 日 1,500～3,000 mg（250 mg 錠 6～12 錠，500 mg 錠 3～6 錠，顆粒 1 g を 1.5～3 包）を 3 回に分けて食後経口投与
> - 大腸型の場合：サラゾピリン® 1 日 2～4 g（500 mg 錠 4～8 錠）を 2～4 回に分けて食後経口投与
> ＊年齢，症状により適宜減量する．

## ❹ 副作用・相互作用

- 使用頻度の高いペンタサ®の副作用について表 2 に示した．近年食物アレルギーなどのアレルギー患者の増加に伴い，ペンタサ®を含めた 5-ASA アレルギーの割合が増えて

表 2　5-ASA 製剤（ペンタサ®）の副作用

| 1% 以上 | 0.1～1% 未満 |
|---|---|
| ・下痢<br>・AST・ALT・γ-GTP・Al-P・ビリルビンの上昇 | **皮膚症状**<br>・発疹，そう痒感，丘疹<br>**消化器症状**<br>・腹痛，血便，下血，アミラーゼ上昇，嘔気，腹部膨満感，食欲不振，便秘<br>**腎機能異常**<br>・クレアチニン・尿中 NAG・尿中ミクログロブリンの上昇・尿蛋白など<br>**血液データ異常**<br>・白血球減少，好酸球増多<br>**その他**<br>・発熱，頭痛，関節痛，全身倦怠感，口内炎 |

# 第4章 内科治療

いる．投与開始2週間以内に，発熱，腹痛，下痢などの腹部症状を生じることがあり，病勢の悪化と間違えやすいので注意が必要である．服用後比較的早期である点と比較的高い熱（38℃以上）が特徴で，薬剤の中止により改善する．薬剤によるリンパ球刺激試験（drug-induced lymphocyte stimulation test：DLST）は診断の一助になるが，DLST 陰性でもアレルギーがないとは限らないことに注意する必要がある．
- そのほか重篤な副作用として，頻度は多くないが，間質性腎炎，汎血球減少，肝炎，膵炎の発症に注意する．
- チオプリン製剤（AZA やロイケリン®）を併用する場合には，5-ASA 製剤がチオプリン製剤の代謝酵素である TPMT を阻害することにより，チオプリン製剤の代謝産物である 6-チオグアニンの血中濃度を高めて骨髄抑制などの副作用を増強することがあるので，併用する場合にはチオプリン製剤の減量や，必要に応じて 5-ASA 製剤の休薬を行う必要がある．

（長沼　誠）

## 3 ステロイド薬

### ❶ 適応および投与方法
- 腸管病変の寛解導入薬として用いられる．
- 軽症から中等症ではブデソニドが用いられる．
- 中等症から重症では主にプレドニゾロンが用いられる．

### ❷ 寛解導入
- ゼンタコート®カプセルはブデソニドの腸溶性徐放顆粒であるが，pH 5.5 以上でコーティングが溶解し，主に回腸から上行結腸にブデソニドが放出される．
- 上記理由のため，病変部位を把握してから投与を行うのが望ましい．
- 発熱などの全身症状が認められる場合や腸管外合併症を認める場合には，プレドニゾロンのほうがより望ましいと思われる．
- プレドニゾロンは経口（または経静脈）投与が行われる．
- いわゆる全身性のステロイド薬であり，最大2週間の導入治療ののちは，最長で3ヵ月を目処に漸減中止とし，漫然と長期投与は行わない．
- ステロイド抵抗例や依存例では AZA や生物学的製剤の投与を検討する．
- ステロイド薬の粘膜治癒効果に関するエビデンスは乏しい．

### ❸ 副作用
- ブデソニドはバイオアベイラビリティが少なく，全身性副作用や副腎機能抑制は少ないとされている[5]．
- プレドニゾロンにおいて副作用は必発である．
- クッシング症候群，痤瘡，高血圧，糖尿病，骨粗鬆症，白内障，緑内障のほか，小児

- では成長障害の原因となりうる．
- 一般的に感染症のリスクは増加すると考えられている．
- 特にプレドニゾロンは静脈血栓症のリスクが上昇することが知られており，血管内カテーテル留置患者や周術期の患者においては注意が必要である[6]．
- 肛門周囲膿瘍などの増悪にも注意が必要である．

> **処方例**
> - ゼンタコート® 9 mg 朝1回（投与期間は8週間を目処とする．中止する際には，徐々に減量してから中止とする）
> - プレドニゾロン 40 mg 朝1回
> - プレドニゾロン 40〜60 mg 静脈投与（重症例）
> 
> ＊いずれも漸減中止とする．

## 4 免疫調節薬

### ❶ 適応および投与方法

- 「免疫調節薬」としては，保険適用がある AZA が最もよく使用されている．また，6-MP（ロイケリン®）は AZA の代謝産物である（図1）．海外ではメトトレキサートの筋肉内（または皮下）投与が行われることもあるが，わが国で使用されることは少ない．
- 一般的にはステロイド依存例などで，ステロイド薬で寛解導入を目指す際の維持治療で用いられる．
- 後述するように，抗 TNF-α 抗体製剤と併用して用いられることも多い．
- 投与初期の高度白血球減少は，NUDT 遺伝子の多型によって予測可能であるため，事前に必ず検査を行う．遺伝子型が Cys/Cys の場合は，高度白血球減少の合併は必発であり，投与は回避する．Cys/His や Arg/Cys の場合は通常の半量程度を目安に開始する．一方，Arg/Arg や Arg/His では高度白血球減少の合併はきわめてまれであり，通常量から開始してもよい[7]．
- 妊娠可能な女性に対する投与については，添付文書では「治療上の有益性が危険性を上回ると判断される場合にのみ投与する」とされている（禁忌ではない）．
- 高尿酸血症などに対し使用されるアロプリノールと AZA との併用には注意が必要である．アロプリノールは 6-MP を不活化する酵素である xanthine oxidase の阻害作用のため，著明な好中球減少症をきたすことがあり，注意が必要である（図1）．

> **処方例**
> - AZA 50〜100 mg 朝1回
> - ロイケリン® 30〜50 mg 朝1回

# 第4章 内科治療

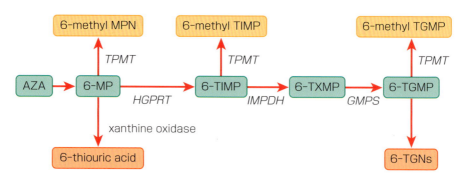

図1　アザチオプリンの代謝経路

## ❷ 寛解導入

- 免疫調節薬は効果発現の遅い薬として知られているため，単独で寛解導入を目指す機会は多くないと思われる．一方，臨床試験において，有名なSONIC studyでは，AZA（2.5 mg/kg）単独群の26週のステロイドフリー寛解率および粘膜治癒率は，それぞれ，30％，16.5％となっている[8]．
- 粘膜治癒率が決して高くなく，臨床的に寛解導入に成功しても，内視鏡検査などによる評価が必要である．

## ❸ 寛解維持

- ステロイド薬とは異なり，維持目的の長期投与が可能である．
- 中止の基準はなく，3年半を超えて寛解を維持しているクローン病患者を対象としたLémannらのRCTによれば，AZA中止群は継続群との比較で，18ヵ月までの寛解維持率には差が認められた[9]．

## ❹ 瘻孔に対する効果

- 一般的には痔瘻に対しても有用とされているが，その検討は乏しく，無効例に対しては外科的ドレナージを含めた，抗TNF-α抗体製剤などの，より積極的な治療が必要となることが多い．
- 内瘻（膀胱瘻や腟瘻，腸管腸管瘻など）に対する有用性は証明されていない．

## ❺ 術後再発予防

- 術後再発予防に対しては，2009年のメタ解析で有用性が示されている[10]．
- 腸管切除後のすべての患者に再発予防目的に投与することは勧められないが，術後6ヵ月後などで施行される内視鏡検査に際し，吻合部口側に内視鏡的再発が認められた場合には，積極的な投与が勧められる[11]．

## ❻ 抗TNF-α抗体製剤との併用の有用性

- 抗TNF-α抗体製剤との併用は，前述のSONIC studyで，有用性が報告されている．

本研究では，AZA併用群はインフリキシマブ単独群と比較して，26週におけるステロイドフリー寛解率および粘膜治癒率が有意に高かった．また，併用群は投与時反応も少なく（5.0% vs 16.6%），30週におけるインフリキシマブ抗体の陽性例も少なく（0.9% vs 14.6%），血清インフリキシマブのトラフ濃度の中央値も併用群で高かった．

- AZAとの併用の有用性について，難治性炎症性腸管障害に関する調査研究班による多施設共同研究として「クローン病に対するアダリムマブと免疫調節剤併用療法の検討（Diamond study）」（UMIN000005146）が行われたが，AZAの併用による有効性（主要評価項目；26週における寛解率）を示すことでできなかった[12]．
- 併用療法は感染症のリスクが上昇すると考えられ，特に高齢者などでは慎重に投与を行うべきと考える．

## ❼ 副作用

- 前述のNUDT遺伝子多型を目安にすることで，多くの場合，急性高度白血球減少は回避可能だが，定期的な白血球数のサーベイランスは必要である．
- 投与初期に出現するアレルギー反応（発熱，下痢の増悪など）は，投与を中止することで速やかに改善する．
- 膵炎の合併も最大5%程度といわれており注意が必要である．症状（腹痛）はクローン病自体の症状と区別が難しい場合もあり，患者によく説明しておく必要がある．一般的には重症化することはなく，内服を中止することで速やかに改善する．
- 軽微な副作用として，嘔気，頭痛，倦怠感，関節痛などが認められることがあるが，これらの副作用に対しては少量から投与開始，眠前投与または分割投与にて投与継続可能な場合がある．
- 特に投与量が増えてくると脱毛を訴える患者も少なくないが，投与量の減量や中止で軽快する．
- AZAは6-MPのプロドラッグであるが，急性高度白血球減少を除けば，AZA不耐例で6-MPが投与可能な場合がある．
- 炎症性腸疾患（IBD）患者において，チオプリン製剤は悪性腫瘍，特にリンパ増殖性疾患lymphoproliferative disease（LPD）のリスク上昇に関与すると考えられている．フランスのCESAMEコホートは20,000人近いIBD患者からなるが，ベースラインにおいて，5,867人（30.1%）の患者がチオプリン製剤による治療を受けていた[13]．その経過観察中の23例にLPDが発症し，チオプリン製剤投与患者は非投与患者と比較して有意にLPDの発症が多かった［ハザード比：5.28（95%CI 2.01～13.9）］．しかし，LPDの絶対的リスクはそれでも低く，ステロイド依存例など適応のある患者において投与を躊躇すべきではない．
- 感染症に対する対策として，手洗いなどの一般的な感染対策に加えて，季節性インフルエンザワクチンや，特に高齢者では肺炎球菌ワクチンの接種を勧める．
- 一方，生ワクチン（風疹，麻疹，水痘など）の接種は禁忌である．
- Mayo Clinicでは，100例の日和見感染症合併IBD患者1人に対して，IBD病名，性

# 第4章 内科治療

別，居住地がマッチし，日和見感染合併のないIBD患者2名を選び症例対照研究が行われた[14]．両群間での内科治療を比較すると，チオプリン製剤投与はオッズ比3.4倍，ステロイド薬との併用では17.5倍となり，特にステロイド薬との併用に関しては注意を要すると報告されている．

- 合併する日和見感染症の多くは，帯状疱疹や単純性ヘルペス感染症など比較的軽微なものであるが，まれに深在性真菌感染症を合併することがあり，特に高齢者では注意が必要である．

## 5 抗菌薬

### ❶ 適応および投与方法

- 古くからクローン病患者に使用されているが，多くの場合，有用性に関する報告のエビデンスレベルは高くはない．
- 主に，大腸病変や肛門病変，術後再発予防などに用いられる．
- 肛門病変合併例を除けば，生物学的製剤などの積極的な内科治療のもとでの有用性は乏しいと考えられる．
- シプロフロキサシンは妊娠中は使用しない．

> **処方例**
> - メトロニダゾール　750 mg/日
> - シプロフロキサシン　400〜800 mg/日

### ❷ 寛解導入

- 腸管病変，特に，粘膜治癒効果に対する有効性の検討は乏しいが，歴史的には主に大腸病変に対して用いられてきた．

### ❸ 術後再発予防

- 有用性を示す報告は多くはない．
- 術後1週間以内より，メトロニダゾール（体重1 kgあたり20 mg）を3ヵ月投与した試験では，プラセボとの比較で，12週における吻合部口側回腸の病変に予防効果が認められた．1年後の臨床的再発は少なかったものの，2年後にはその差は認められなかった[15]．

### ❹ 肛門病変

- 痔瘻や肛門周囲膿瘍に対して使用される．切開排膿に加えて，疼痛や排膿が持続する場合は，シートン法によるドレナージが行われる．
- 多くの検討はメトロニダゾールで行われているが，シプロフロキサシンのほうが，忍容性は高いと考えられる[16]．

## ❺ 副作用
- メトロニダゾールの長期投与では，四肢の末梢神経障害（しびれなどの感覚異常）を合併することがあり，投与中止後も数ヵ月から数年にわたり症状が残存することもある．
- ほかに嘔気や，味覚異常などの副作用も知られている．

（長堀正和）

## 6 栄養療法（経腸栄養療法）

### ❶ 栄養療法の位置づけ
- 2020年3月に改訂されたクローン病治療指針では，受容性があれば栄養療法（経腸栄養療法）は薬物療法とともに軽症～中等症に対する治療と位置づけられている（図2）[17]．
- 排便回数が多い症例ではかえって下痢が悪化することもある．
- 明らかなエビデンスは少ないが，小腸病変に比較して大腸病変では有効性が低下すると考えられている．
- 欧米のメタアナリシスではステロイドよりも効果（寛解導入）が劣るとされ[18]，また食事制限を伴うこと，栄養剤は安価ではないこと，などの理由から小児の成長障害例を除きほとんど行われていない．
- 日本ではオープン試験ではあるが80％近い有効率を示す数多くの報告がある[19]．したがって，効果が低下する最大の原因は食事制限の苦痛による栄養療法からの脱落である．
- 本邦の4研究をまとめたメタアナリシスでは，インフリキシマブ単独に比べ栄養療法の併用は，寛解導入および寛解維持療法に優れていることが示されている[20]．

### ❷ 栄養療法の特徴と適応

#### 1）長　所
- 薬物療法と比較した場合，栄養療法の最も優れている点は安全性である．
- ステロイドやインフリキシマブ（レミケード®）と異なり，累積投与量に限度はなく，また休止期間をおいた後の再投与でも同様の効果が期待される．
- 多少の狭窄があっても栄養療法主体の経口摂取では腸閉塞をきたしにくい．

| 軽症 | 中等症 | 重症 |
|---|---|---|
| ・ブデソニド<br>・5-ASA製剤<br>・経腸栄養剤<br>（受容性があれば） | ・経口ステロイド<br>・抗菌薬<br>・経腸栄養剤 | ・原則入院のうえ，全身管理<br>・完全静脈栄養療法<br>・経静脈ステロイド |

図2　活動度に応じたクローン病治療と栄養療法の位置づけ

（文献17）より改変）

# 第4章 内科治療

表3 栄養療法の適応症例（効果を期待しうるタイプ）

| 活動度 | 病型 | 腸管合併症 | 狭窄あり | 排便回数 |
|---|---|---|---|---|
| 軽症～中等症 | 小腸型 | 瘻孔がない | 投与可能 | 下痢が頻回でない |

表4 栄養療法に用いられる栄養剤の種類

| 区 分 | 成分栄養剤 | 消化態栄養剤 | 半消化態栄養剤 |
|---|---|---|---|
| 製品名 | エレンタール® | ツインライン®NF | ラコール®NF |
| 窒素源 | 結晶アミノ酸 | 乳蛋白加水分解物 | 乳カゼイン，大豆蛋白質 |
| 炭水化物 | デキストリン | マルトデキストリン | マルトデキストリン，砂糖 |
| 脂肪 | 大豆油 | MCT | シソ油<br>大豆油<br>MCT |
| 蛋白質 | 17.9 | 16.2 | 17.6 |
| 糖質 | 80.7 | 58.5 | 62.5 |
| 脂質<br>(% kcal) | 1.46 | 25.3 | 19.8 |

MCT：中鎖脂肪.

### 2) 短 所

- 効果発現に1～2週間の時間を要する．
- 痔瘻や狭窄などの腸管合併症に対する有効性は認めない．
- 長期の成分栄養剤投与では必須脂肪酸欠乏をきたすため，10～20%脂肪乳剤の経静脈的投与（週1～2回）が必要である．
- 亜鉛や銅などの微量元素欠乏にも注意する．

### 3) 適 応

- 適応症例を表3にまとめた．

## ❸ 使用する栄養剤の種類（表4）

- 窒素源がアミノ酸で，かつ脂肪の少ない成分栄養剤（エレンタール®）あるいは消化態栄養剤（ツインライン®NF）が一般的に使用される．
- カゼインなど生成された蛋白質を含む半消化態栄養剤（ラコール®NFなど）でも同等の効果が報告されている[21]．
- 脂肪分の多い栄養剤や免疫強化機能を謳っている栄養剤は，クローン病での有効性を示すデータがなく推奨されない．

## ❹ 投与の仕方

- 投与量が少ない場合（～900 kcal/日）は経口的に1日数回に分けて投与する．携行す

る際はペットボトルや携行型水筒を用いるとよいが，水を入れて溶かすだけで摂取可能なボトルタイプも発売されている．
- エレンタール®はグレープフルーツ味やパイナップル味など，やや酸味のある各種フレーバー（10種類）を添加すると摂取しやすくなる．これは，さまざまな味を日替わりで楽しめる利点でもある．
- 寛解導入時など投与量が多い場合は，経鼻胃管（フィーディングチューブ）[注] を用いて投与する．チューブは自己挿入のため最初は練習が必要であるが，慣れると就寝中のみの投与など，QOLを下げることなく継続可能である．

注）栄養療法に用いられる経鼻チューブは通常の胃液吸引用チューブと異なり，非常に細く（5～8 Fr），鼻や咽頭への違和感が少ない．自己挿入しやすいように先端に重りがついたもの，細いガイドワイヤつき，挿入後剝くための外筒つきなど，さまざまな種類のものが市販されている．

## ❺ 活動期の投与法

- 活動期では完全経腸栄養による寛解導入療法が行われる．

①初回治療は必ず，2回目以降も入院治療が望ましい．
②絶食として，水分は少量の経口と静脈投与（点滴）で補う．
③初回はエレンタール® 1日 300 mL を経鼻チューブで投与する（ポンプを使用し，最低3時間かけて）．
④1週間かけて体重×（30～35）kcal の必要量まで増量する．尿量が十分あれば点滴は中止．
⑤2～4週間投与し，臨床症状の改善（CDAI＜150）と炎症反応の低下（CRP 正常化）まで継続する．
⑥寛解維持療法へ移行する．

## ❻ 寛解期の栄養療法

- 以前は寛解維持を目的とする場合でも，30 kcal/kg に近い量の栄養剤摂取が必要と報告されており，長期ではコンプライアンス低下が問題となっていた．その後，摂取エネルギーの半分を栄養療法で補う，いわゆる half ED の有効性が明らか[22]になってから（図3），栄養療法による維持療法は half ED が推奨されている．
- 投与量は 900 kcal/日程度となるため，フレーバー添加による経口摂取が十分可能である．夜間のみ経鼻チューブを用いる間欠的投与法も行われている．
- half ED のみでは維持効果に限界があるため，5-ASA 製剤（ペンタサ®）や免疫調節薬（AZA：イムラン®）との併用も検討すべきである．
- 寛解導入療法の違いによる移行例を以下にまとめる．

# 第4章　内科治療

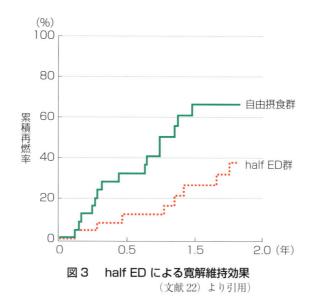

図3　half ED による寛解維持効果
（文献22）より引用）

- 完全経腸栄養による寛解導入後は，栄養剤投与量を徐々に減らしながら食事量を少しずつ増やす（スライド方式）が，half ED の維持を目標とする．
- ステロイドにて寛解導入する場合は，活動期から少量投与により栄養療法に慣れさせながら，900 kcal/日程度まで増量する．この場合は治療初期からの half ED 継続が目標となる．
- インフリキシマブ二次無効後の倍量時においても，栄養療法併用が再寛解導入と維持に優れているとの報告がある[23]．

## 7　GMA

### ❶ GMA の適応と効果

- 顆粒球・単球吸着療法（granulocyte/monocyte apheresis：GMA）は白血球除去療法（leukocytapheresis：LCAP）とともにステロイド抵抗性潰瘍性大腸炎に対する治療として広く行われているが，2009年1月より GMA がクローン病にも適応拡大となった．
- 栄養療法とは異なり GMA 単独治療の適応はなく，既存治療の有効性が乏しい場合に併用療法として考慮すべきである．適応症例は表5のごとく，栄養療法で効果が得られにくい大腸病変に対して寛解促進効果が期待される．一方，小腸病変には無効との報告が多い．
- 多施設共同のオープン試験では，2週間以上の栄養療法で改善しない 200 ≦ CDAI ＜ 400 の中等症で大腸活動性病変のある患者を対象として行われ，CDAI が150未満の寛解導入例と50以上減少した改善例を合わせた有効率は 52.4% であった[24]（図4）．

表5　GMAの適応症例（効果を期待しうるタイプ）

| 活動度 | 病型 | 腸管合併症 | 前治療 | 栄養療法 |
|---|---|---|---|---|
| 中等症から重症 | 活動性大腸病変あり | 効果は期待できない | 効果なし | 併用可能 |

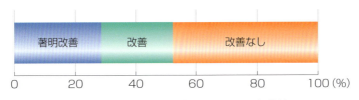

図4　クローン病に対するGMAの有効性
（文献24）より引用）

## ❷ GMA実施方法

- 処理量は30 mL/分で60分の1,800 mLが目安となる．
- 副作用の頻度は少なく安全性の高い治療法であるが，抗凝固薬のメシル酸ナファモスタット（フサン®）によるショック・アナフィラキシー様症状をきたすことがあり，特に開始初期は注意する．
- 施行回数は基本的に潰瘍性大腸炎と同様であり，週1回×5回を1クールとして，最大2クール施行する．

## ❸ GMA実施に際して

- 栄養療法とともに副作用が少ない治療法であるため，栄養療法のアドヒアランス低下による再燃時などには，より積極的に考慮すべきである．
- 抗TNF-α抗体製剤の効果減弱により投与間隔の短縮が問題となっているが，GMAを一定期間行うことで短縮を回避できるとの報告もある[25]．

（辻川知之）

# 8　抗TNF-α抗体製剤

## ❶ TNF-αとは

- tumor necrosis factor（TNF；腫瘍壊死因子）-αはサイトカインの一つである．TNF-αは活性化されたマクロファージによって主に産生されるが，単球，T細胞などもTNF-αを産生する．
- TNF-αの生理活性は多様であるが，下記のような作用を通じて，感染防御や腫瘍免疫に重要な役割を果たしている[26]．
  ①血管内皮細胞に細胞接着分子の発現を亢進させ，免疫細胞を炎症局所に遊走させる．

# 第4章 内科治療

②感染細胞をアポトーシスによって殺す．
③形質細胞からの抗体産生を刺激する．
④炎症部位に血管新生を誘導する．
⑤他の免疫細胞からのIL-6やIL-1といった炎症性サイトカインの産生を促す．
- クローン病では腸管局所でTNF-αが過剰に産生され，腸炎が引き起こされている．

## ❷ 作用機序
- 抗TNF-α抗体製剤は次のような機序で炎症を抑える[27]．
  ①可溶性TNF-αを中和する．
  ②可溶性TNF-αの受容体への結合を阻害する．
  ③免疫細胞の表面に発現している膜貫通型TNF-αに結合し，抗体依存性細胞障害もしくは細胞依存性細胞障害によって，膜貫通型TNF-αを発現している細胞を破壊する．

## ❸ 製剤の種類
- クローン病に対しては，インフリキシマブとアダリムマブの2種類の製剤が使用できる．
- インフリキシマブは，マウス由来の遺伝子配列が25％残っているヒト-マウス・キメラ型抗体である．
- アダリムマブはヒト遺伝子のみで作製された完全ヒト型抗体である．
- インフリキシマブは点滴静注製剤，アダリムマブは自己注射可能な皮下注製剤である．
- インフリキシマブ，アダリムマブともにバイオシミラー（バイオ後続品）が使用可能である．

## ❹ 適 応
- ステロイドに反応を示さないステロイド抵抗性の患者や，ステロイド減量中もしくは中止後早期に再燃するステロイド依存性の患者に対して，抗TNF-α抗体製剤は適応となる[28]．
- 後述のように，痔瘻を合併した患者に対しては積極的に用いられることが多い．

## ❺ 治療戦略
- クローン病の治療戦略は，ステロイドや栄養療法から治療を開始し，免疫調節薬，生物学的製剤へと段階的に治療を強化していくstep-up治療が基本である．
- 予後不良因子（痔瘻／肛門周囲膿瘍合併，深い潰瘍，広範囲病変，腸管狭窄，瘻孔形成など）をもつ患者においては，抗TNF-α抗体製剤から治療を開始するtop-down治療が行われることもある．
- ステロイドや免疫調節薬は，痔瘻に対しては有効性が低い．一方で，抗TNF-α抗体製剤は痔瘻にも有効であることから[29]，痔瘻を合併した患者では抗TNF-α抗体製剤によ

る top-down 治療を積極的に検討する．
- 発症 1 年未満の早期クローン病の患者で，抗 TNF-α 抗体製剤の有効性が高いことが示されている[30]．そのため，step-up 治療を開始したとしても，最終的に抗 TNF-α 抗体製剤が必要な患者にはできるだけ早く抗 TNF-α 抗体製剤を導入するために，治療開始後は 3 ヵ月ごとに CRP などの客観的な指標で治療効果をモニタリングして，寛解に至っていない場合は速やかに治療を強化していく accelerated step-up 治療が行われるようになってきている[31]．
- このように，治療目標を事前に設定して，その治療目標が達成できているかどうかを定期的に評価し，達成できていない場合は治療を順次強化してく治療戦略を treat-to-target と呼ぶ[32]．
- クローン病の治療目標は粘膜治癒であるため，治療開始半年～1 年後に下部消化管内視鏡で粘膜治癒を確認する．

## ❻ 投与する前の注意事項

- 肛門周囲膿瘍を合併している患者では，肛門科医や外科医に依頼し，膿瘍をドレナージしてから抗 TNF-α 抗体製剤の投与を開始する．
- 抗 TNF-α 抗体製剤投与中に結核を発症した症例が報告されているため，十分な問診（結核既往歴，結核患者への接触歴，呼吸器症状など），胸部 X 線検査，インターフェロン γ 遊離試験（T-spot®または QuantiFERON®）またはツベルクリン反応検査を行い，投与前に潜在性結核感染の有無を確認する．疑わしい場合には胸部 CT 検査も実施する．
- インターフェロン γ 遊離試験は，結核菌特異的抗原による刺激によって T 細胞から産生されるインターフェロン γ を測定している．そのため，ステロイド投与中は T 細胞の機能が抑制され，判定保留になることがあるので注意が必要である[33]．
- これらの検査で潜在性結核感染が疑われる場合には，抗 TNF-α 抗体製剤を開始する 3 週間前からイソニアジド 300 mg/ 日を投与し，6～9 ヵ月間継続する．
- 活動性結核を合併している場合には，結核の治療が終了するまで抗 TNF-α 抗体製剤の投与は禁忌である．
- B 型肝炎ウイルスが再活性化することがあるので，投与前に B 型肝炎ウイルスのスクリーニングを行う．最初に HBs 抗原を測定する．HBs 抗原陰性の場合は，HBc 抗体，HBs 抗体を測定する．HBc 抗体もしくは HBs 抗体のいずれかでも陽性の場合は，HBV-DNA 定量検査を実施する（HBs 抗体単独陽性でワクチン接種歴が明らかな場合は除く）．HBV-DNA が陽性であれば，核酸アナログ製剤を投与する．陰性の場合は，定期的に HBV-DNA をモニタリングする．

# 第4章 内科治療

> **処方例**
>
> **インフリキシマブ**
> ① 0, 2, 6 週に 1 回あたり 5 mg/kg を 2 時間以上かけて点滴静注する．有効であった患者では 8 週ごとの投与を維持治療として継続する．
> ② 点滴静注は 2 時間以上かけて行うが，4 回目以降の投与に関しては，投与時反応がなければ 1 時間あたり 5 mg/kg まで投与時間を短縮することができる．
> ③ インフリキシマブは AZA を併用することで，インフリキシマブ単剤で治療するより 26 週後の臨床的寛解率が高くなることが示されている[8]．
> ④ インフリキシマブと AZA を 6 ヵ月間併用した後に AZA を中止しても，継続した患者と比較して，臨床経過に差はなかったと報告されている．一方で血中トラフ濃度は AZA の併用を継続した患者で高値であった[34]．

> **処方例**
>
> **アダリムマブ**
> ① 初回 160 mg の皮下注を行い，2 週間後に 80 mg を皮下注する．以降は 2 週間ごとに 40 mg 皮下注を継続する．
> ② アダリムマブは自己注射も可能である．
> ③ アダリムマブと AZA の併用治療は，アダリムマブの単剤治療と較べて，26 週後の臨床的寛解率に差はなかったと報告されている[12]．

## ❼ 効果減弱

- 抗 TNF-α 抗体製剤による治療中に，1 年間で 10〜15% の患者において有効性が低下する[35]．これは「効果減弱」もしくは「二次無効」と呼ばれている．
- 効果減弱は，抗薬物抗体が出現し，抗 TNF-α 抗体製剤の血中トラフ濃度が低下することが主な原因と考えられている．
- 効果減弱の最大の危険因子は喫煙である．喫煙者には積極的に禁煙を指導する．
- 効果減弱を認めた場合には，活動性炎症の有無を大腸内視鏡などの検査によって確認する．さらに MR エンテログラフィー，CT エンテログラフィー，腸管超音波検査などで，狭窄・瘻孔・膿瘍など手術適応になる病変の有無も確認する．
- 効果減弱を示した場合には，インフリキシマブは最短 4 週までの投与間隔の短縮，もしくは 1 回投与量で 10 mg/kg までの増量が可能である．アダリムマブは 80 mg/ 回への増量が可能である．
- インフリキシマブの投与間隔を短縮した場合には，患者に医療費負担が増える可能性があることを説明する．
- インフリキシマブの場合，投与後の症状改善や，投与 2〜4 週後の CRP 低下を確認することで，インフリキシマブの効果が残っているのか，完全に消失しているのかを判断できる．
- 免疫調節薬が併用されていない患者では，免疫調節薬を併用することで抗薬物抗体の産生が抑えられ，抗 TNF-α 抗体製剤の効果が戻ることがある[36]．
- 抗薬物抗体が出現することによる効果減弱の場合には，抗 TNF-α 抗体製剤間での変更

- が有効な場合もある．
- TNF-αに依存する病態ではなくなっている場合には，他の作用機序の薬剤（ベドリズマブ，ウステキヌマブ）への変更を検討する．
- 栄養療法やGMAの併用も，効果減弱への対策として有用であると報告されている[23,37]．

## ❽ 術後治療
- 術前の抗TNF-α抗体製剤投与は，クローン病患者において周術期の合併症を増やす可能性があるが，その程度はわずかである[38]．
- 腸管切除後の内視鏡的再燃率を抗TNF-α抗体製剤は低下させる[39]．
- 術後の抗TNF-α抗体製剤治療によって，再手術率が低下する可能性がある[40]．
- 一方で，術前に抗TNF-α抗体製剤で加療されていた患者では，術後の抗TNF-α抗体製剤投与の有無によって，再手術率は変わらないことも報告されている[40]．

## ❾ 副作用
- インフリキシマブ投与中に呼吸苦，血圧低下，皮疹，頭痛，動悸，発汗，発熱などの症状が出現することがあり，「投与時反応」と呼ばれている．アナフィラキシーショックを起こすこともまれにあり，その場合にはアドレナリン筋注を行う．
- 投与時反応を起こした場合は，まずはインフリキシマブ投与を中止する．必要に応じて，抗ヒスタミン薬（クロルフェニラミン5 mg静注もしくはジフェンヒドラミン30 mg筋注），アセトアミノフェン500 mg経口投与，ヒドロコルチゾン200 mg点滴静注などを行う．
- 軽度の投与時反応の場合は，症状が消失した後に投与速度を遅くして再開し，15～30分ごとに投与速度を徐々に上げていく．途中で投与時反応が出現するようであれば，投与を中止するか，症状が出る直前の投与速度に戻す．
- 投与時反応を起こした患者の次回以降の投与に際しては，①投与1.5時間前に抗ヒスタミン薬（$H_1$受容体拮抗薬＋$H_2$受容体拮抗薬）およびアセトアミノフェン500 mgを内服する，②投与前にヒドロコルチゾン200 mgを投与する，③遅い投与速度から開始し，15分ごとに投与速度を上げていく，などの対応を行う．
- 免疫調節薬未投与の患者ではAZAの併用も検討する．
- アダリムマブへの変更も検討すべきである．
- アダリムマブは，投与部位に発赤・腫脹・疼痛などが生じる投与部位反応を起こすことがある．通常は数日で軽快する．
- 抗TNF-α抗体製剤で加療中に乾癬様皮疹を合併することがある．これらは"paradoxical response"と呼ばれている．頭皮や耳介の裏にみられることが多いが，手掌に掌蹠膿疱症に類似した皮疹を認めることもある．皮膚科医にコンサルトし，外用ステロイド剤などで対応する．改善がない場合は，抗TNF-α抗体製剤の中止が必要になることもある．抗TNF-α抗体製剤間での変更は無効であることが多く，抗TNF-α抗体製剤以外の生物学的製剤への変更が必要になることがある．

# 第4章 内科治療

### ❿ その他の留意点
- 喫煙は効果減弱の最大のリスク因子であるため，抗TNF-α抗体製剤投与前に禁煙を強く指導する．
- 抗TNF-α抗体製剤治療を受けている間は，生ワクチンの接種は禁忌である．主な生ワクチンとしてはBCG，麻疹ワクチン，風疹ワクチン，MR（麻疹・風疹混合）ワクチン，水痘ワクチン（帯状疱疹ワクチン），おたふくかぜ（流行性耳下腺炎）ワクチン，ロタウイルスワクチン，ポリオワクチン[注]，黄熱ワクチンがある．

> 注）日本では2012年から定期接種は生ワクチンを不活化ワクチンに切り替えている．

- 患者には，抗TNF-α抗体製剤による治療を受けている間は生ワクチンを接種しないように，必ず指導しておく．
- 抗TNF-α抗体製剤治療中でも，インフルエンザワクチン，肺炎球菌ワクチンなどの不活化ワクチンは接種可能であるが，抗体価が上がりにくいという報告もある[41]．
- 抗TNF-α抗体製剤は妊娠中期以降に胎盤を通過して胎児に移行するが，妊娠転帰には影響しないとの報告が多い[42]．
- 抗TNF-α抗体製剤による治療を受けている間でも，授乳は可能である[42]．
- 新生児ではIgGの代謝が遅いため，インフリキシマブの投与を受けていた母親から産まれた新生児で生後半年まで血中にインフリキシマブが検出されたという報告がある．そのため，抗TNF-α抗体製剤の投与を受けていた母親から産まれた新生児では，生後半年間は生ワクチンの投与は避けるように指導する．出産半年以内に投与される可能性のある生ワクチンはBCG，ロタウイルスワクチンである[42]．

## 9 抗interleukin-12/23p40抗体製剤

### ❶ Interleukin-12/23p40とは
- Interleukin（IL）-12およびIL-23は，抗原提示細胞である樹状細胞やマクロファージから分泌されるサイトカインである．
- IL-12はナイーブ・ヘルパーT細胞（これまで抗原に出会ったことがないCD4陽性T細胞）に作用し，1型ヘルパーT細胞（Th1）への分化を誘導する．IL-23はナイーブ・ヘルパー細胞をTh17細胞やTh1細胞へ分化させる．
- Th1細胞はインターフェロン$\gamma$，Th17細胞はIL-17を産生する．Th1細胞，Th17細胞はクローン病患者の腸管で引き起こされている異常な免疫反応において中心的な役割を果たしている[43,44]．
- IL-12は，p40サブユニットとp35サブユニットで構成される二量体の構造をしている．IL-23は，p40サブユニットとp19サブユニットの二量体である．すなわち，p40サブユニットはIL-12とIL-23に共通である（図5）．

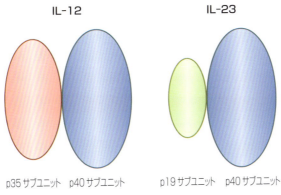

図5 Interleukin-12 と interleukin-23 の構造

## ❷ ウステキヌマブとは

- ウステキヌマブは抗ヒト IL-12/23p40 モノクローナル抗体製剤である．
- ウステキヌマブはヒト遺伝子から作成された完全ヒト型抗体である．
- 第Ⅲ相臨床試験では，既存治療不応の患者（多くは抗 TNF-α 抗体製剤の投与歴がない患者）において，6 mg/kg 点滴静注後 6 週時点での臨床反応率は，プラセボが 28.7％ に対して，ウステキヌマブでは 55.5％ と有意に高率であった．抗 TNF-α 抗体製剤不応の患者においても，臨床反応率はウステキヌマブで 33.7％ であり，プラセボの 21.5％ より有意に高率であった[45]．
- 6 週目に反応を示し，90 mg 皮下投与を継続した患者において，44 週目での寛解率は 8 週ごと投与で 53.1％，12 週ごと投与で 48.8％ であり，プラセボ投与の 35.9％ より有意に高率であった[45]．
- 痔瘻に対する有効性のデータはまだ少ない．

## ❸ 適応と投与方法

- ウステキヌマブはステロイド抵抗性や依存性，もしくは AZA 不応性の中等症から重症のクローン病患者に対して用いる．また，抗 TNF-α 抗体製剤や抗 α4β7 インテグリン抗体製剤不応の患者に対しても用いることができる．
- 投与前に B 型肝炎ウイルスおよび結核の感染状態を確認する（「⑧抗 TNF-α 抗体製剤」参照）．

> **処方例**
>
> **ウステキヌマブ**
> ①初回は体重 1 kg あたり約 6 mg（体重 55 kg 以下：260 mg，体重 55 kg を超える 80 kg 以下：390 mg，体重 85 kg を超える：520 mg）を 1 時間以上かけて点滴静注する．
> ②初回点滴静注 8 週間後に 90 mg を皮下投与する．以後 12 週間間隔で 90 mg を皮下投与する．効果が減弱した場合には，投与間隔を 8 週間に短縮できる．

### ❹ 特　徴
- 完全ヒト型抗体であり，抗薬物抗体の出現頻度が低い．
- 治験の長期継続試験では，半数以上の患者が 152 週目で寛解であった[46]．
- AZA 併用による有効性の向上は，ほとんどの報告では認められていない．
- ウステキヌマブが先行して使用されている乾癬での 5 年間のフォローアップにおいても，長期的な安全性プロファイルは良好であった[47]．しかし，乾癬での承認用量はクローン病より少なく，クローン病での長期的な安全性に関するデータを蓄積していく必要がある．

### ❺ 副作用
- まれに発疹，蕁麻疹，血管浮腫などのアレルギー反応が出現することがある．
- IL-12，IL-23 は感染防御に働くサイトカインであるため，ウステキヌマブ投与中は感染症に対して注意が必要である．

### ❻ 注意点
- 活動性結核，過敏症，重篤な感染症の患者では投与禁忌である．
- ウステキヌマブ投与中は生ワクチンの接種は行わない．
- 妊婦における安全性に関するデータは少ない．
- ウステキヌマブ投与中の母親から生まれた新生児への影響についてもデータはほとんどないが，抗 TNF-α 抗体製剤と同様に出生後少なくとも半年は生ワクチンの接種は避けるべきであろう．

（松岡克善）

## 10 抗インテグリン抗体製剤

### ❶ インテグリンとは
- インテグリンは integrate（結合する）から派生しており，細胞同士を接着するときに関与する細胞接着因子である．
- 抗原を取り込んだ樹状細胞（抗原提示細胞）は所属リンパ節においてナイーブ細胞に抗原を提示しヘルパー T 細胞を誘導する．誘導されたヘルパー T 細胞は抗原を取り込んだ組織へと戻り局所の免疫に関与する（ホーミング）．
- インテグリンは $\alpha$ 鎖と $\beta$ 鎖の二量体で構成されており，白血球の表面に発現しその接着・遊走に作用する．$\alpha$ 鎖と $\beta$ 鎖の組み合わせと結合する相手方の接着因子との組み合わせで臓器特異性が決定される（図 6）．
- 腸管にホーミングする T リンパ球の表面には $\alpha 4\beta 7$ インテグリンが発現しており，腸管血管内皮に選択的に発現している MAdCAM-1 に接着することで腸管組織に T リンパ球が浸潤する．

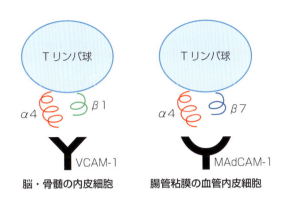

図6 リンパ球上に発現するインテグリンと臓器選択性

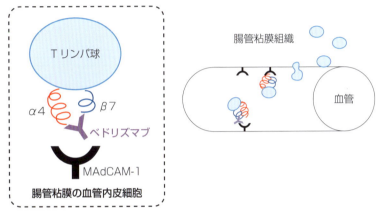

図7 ベドリズマブの作用機序

## ❷ ベドリズマブとは

- ベドリズマブは α4β7 インテグリンに対する遺伝子改変 IgG1 型モノクローナル抗体であり，α4β7 インテグリンと MAdCAM-1 が接着することを阻害することで T リンパ球が腸管へ浸潤することを抑制し炎症を抑制する（図7）．

## ❸ 適応と投与方法

- 既存治療で効果不十分な中等症から重症の活動期クローン病の治療および維持療法．
- 過去の治療において，栄養療法，他の薬物療法（ステロイド，AZA 等）などの適切な治療を行っても，疾患に起因する明らかな臨床症状が残り，本剤の投与が適切と判断した場合に投与する．

> **処方例**
> - ベドリズマブ 300 mg を 1 回約 30 分以上の時間をかけて点滴静注する．
> - 投与スケジュールは初回投与後，2 週，6 週後に 300 mg を点滴静注し，有効例では以後 8 週ごとに 300 mg 点滴静注の計画的維持投与に移行する．

# 第4章　内科治療

## ❹ 特　徴
- 遺伝子組み換えヒト化抗ヒトα4β7インテグリンモノクローナル抗体製剤である．
- IgG1抗体であり胎盤通過能を有する．
- 抗体依存性細胞障害作用や補体依存性細胞障害作用は有さないようにアミノ酸置換が行われている．
- 腸管選択的にTリンパ球のホーミングを阻害する．
- 第Ⅲ相臨床試験では，副腎皮質ステロイド，免疫調節薬，または抗TNF-α抗体製剤のうち少なくとも1剤について治療失敗歴を有する中等症から重症のクローン病患者において，第6週での臨床的寛解率はベドリズマブ300 mg投与群14.5％，プラセボ群6.8％であった．第52週での臨床的寛解率はベドリズマブ300 mg 8週ごと投与群39％，プラセボ群21.6％であった[48]．
- ベドリズマブにおける免疫調節薬併用の有用性は明らかとなっていない[49]．
- 肛門病変に対する有効性についてはまだ十分なエビデンスはない．
- 腸管外合併症への有用性は不明である．

## ❺ 副作用
- まれに発疹，蕁麻疹，アナフィラキシーなどの投与時反応が出現することがある．
- 結核を含めた感染症については他の生物学的製剤同様に十分注意する．このため投与前の結核スクリーニング，B型肝炎スクリーニングは抗TNF-α抗体製剤と同様に行う．ただし，ベドリズマブは理論的には腸管選択的にTリンパ球のホーミングを阻害するので全身免疫への影響は少なく，重篤な全身性感染症のリスクは低いと考えられる．
- 臓器選択性のない抗α4インテグリン抗体（ナタリズマブ）で報告された進行性多巣性白質脳症の発生は[50]，ベドリズマブにおいては報告されていない．

## ❻ 注意点
- 海外データに含まれている4週ごとによる維持投与は日本では承認されていない．
- ベドリズマブはIgG1抗体であるため胎盤通過能を有する．現在のところ，妊婦へのベドリズマブ投与のリスク，投与中の母親から生まれた新生児への影響については十分なデータはない[51, 52]．そのため抗TNF-α抗体製剤と同様に出生後少なくとも半年間は生ワクチンの接種は避けるべきであろう．
- ベドリズマブは母乳中に移行することが報告されているが，新生児への影響は明らかとなっていない[53]．

（久松理一）

## 11　内視鏡的拡張術

- クローン病は経過中に高率に外科的手術を要する疾患である[54, 55]．

- クローン病の腸管病変に対する手術適応の半数以上は腸管狭窄が占める[56, 57]。
- 内視鏡的バルーン拡張術（endoscopic balloon dilation：EBD）は頻回の外科手術を回避するのに有効な狭窄解除法である.
- EBD の短期的な治療成績は良好であるが，長期的予後については再 EBD や外科手術が必要となる症例も少なくない.
- クローン病治療の基本は薬剤や栄養療法などの内科的治療であり，狭窄をきたすような病変の進展を阻止することが最も重要である.
- EBD の意義は外科的手術を回避する低侵襲治療であり，適応，有用性および合併症のリスクを熟慮して施行するべきである.
- 腸管狭窄の状態や疾患活動性だけでなく社会的背景なども考慮し，個々の症例ごとに適切な治療方針を立てることが肝要である.
- 例えば若年層において，重要なライフイベントの際に EBD により外科手術を回避することが QOL 改善に有効な場合もある.

## ❶ クローン病狭窄病変への考え方と EBD の適応

### 1）胃・十二指腸

- クローン病の胃・十二指腸病変が高度になると活動性潰瘍や敷石像を伴い，管腔の狭小化をきたしやすい[58]。
- 上部消化管では幽門部から十二指腸の狭窄に対して行われることが多い.
- 胃，十二指腸病変では胃酸の影響も考慮すべきであり，必要なら EBD 前よりプロトンポンプ阻害薬などを投与する.
- 幽門狭窄に至った場合は，バイパス術などの外科的処置が必要となることもあり，比較的高度な管腔狭小化に対しては EBD をなるべく早期に行うべきである[58]。

### 2）小腸，大腸，吻合部

- 腸管狭窄や腸管狭窄に伴う瘻孔はクローン病の手術理由として最も多い.
- クローン病では外科的な腸管切除後も吻合部を中心に再発をきたしやすい.
- したがって，下部消化管では，好発部位である回腸末端のほか結腸，直腸および回盲部切除後の回腸－結腸吻合部の狭窄部に対して行われている.
- 日本ではバルーン小腸内視鏡が普及し，回腸末端以外の小腸狭窄に対しても EBD が行われている[59]。
- EBD は内視鏡を用いた低侵襲の狭窄解除法であり，外科的手術を回避できれば QOL の向上に寄与する.
- 狭窄症状を有する症例や画像所見で高度狭窄を認める場合には，内科的治療で炎症を鎮静化し，潰瘍が消失・縮小した時点で EBD を治療の選択肢として考慮してよい[54]。
- 一般的な EBD の適応は表 6 に示す[60]が，この適応の対象には，さまざまな原因による消化管の狭窄性病変を含んでおり，クローン病を対象とする場合には若干の考慮が必要である.

# 第4章 内科治療

表6 良性疾患に対するEBDの適応

| 適応 |
|---|
| ・狭窄に基づく経口摂取障害 |
| ・術後狭窄に伴う縫合不全合併例 |
| ・下部消化管閉塞によるイレウスないし亜イレウス |
| ・炎症性腸疾患の治療後進行した瘢痕による高度狭窄 |

| 適応外 |
|---|
| ・細径内視鏡が通過する程度の狭窄 |
| ・高度に屈曲した狭窄 |
| ・長い狭窄 |
| ・瘻孔合併例 |
| ・炎症や潰瘍を合併している狭窄 |

(松井敏幸 他：消化管狭窄に対する拡張術とステント療法ガイドライン．消化器内視鏡ガイドライン（第3版）[60]．p.236より引用)

- クローン病では全層性の炎症をきたすため，他疾患に対するEBDより穿孔のリスクが高くなる．
- 瘻孔や深い潰瘍の合併が多く，EBD前に腹部CTや小腸造影でこれら適応外の狭窄を除外することが，手技による合併症回避の意味で重要となる．

## ❷ EBDの方法[61]

- どの部位で施行するかによって使用するscopeは異なるものの，手順や注意事項は基本的に同じである．
- 拡張バルーンには，OTW（over-the-wire）バルーンとTTS（through-the-scope）バルーンがあり，使い分けが可能である．
- 通常は内視鏡で直視下に施行できる利点もあり，TTSバルーンが汎用される．
- CRE™（controlled radial expansion）を用いると，加圧時の気圧（通常は3～8気圧）をモニターし，拡張径をコントロールできる．
- 実際のEBDは，狭窄部観察→ガストログラフィンでの造影→バルーン挿入→バルーン拡張→狭窄部観察の手順で行う．
- 穿孔を防ぐためには，高度狭窄には細径のバルーンを選択すること，拡張初期に狭窄部に最大圧が加わることから，X線で確認しながらゆっくり加圧することが重要である．
- EBD後には狭窄部の裂傷や出血の程度を確認する．また，チューブ造影にて穿孔の有無を観察する．
- 効果判定は，施行直後のscopeの通過の有無や後日行うX線検査，術後の症状の経過などにて判断する．

## ❸ EBDの治療成績と合併症

- 上部消化管狭窄に対してのEBDに関するメタ解析では，臨床的な短期有効率は87%と高く，出血や穿孔などの外科手術を要する重篤な合併症は2.9%と報告されている．長

期的には平均約 2 年間の経過観察中に 70.5% が症状再燃し，59.6% に再度 EBD が施行されている[62]．
- 下部消化管狭窄を主な対象（一部に小腸狭窄を含む）とした EBD に関するメタ解析では，臨床的な短期有効率は 70.2%，出血や穿孔などを含めた合併症は 6.4% と報告されている．長期的には 5 年後の累積外科手術率が 75% と高率であり，有効性の持続が課題であることが示されている[63]．
- 小腸狭窄に対する balloon assisted enteroscopy（BAE）を用いる EBD の成績も集積されつつある．従来のスコープを用いて行った他の報告と比較して治療成績は，ほぼ同等である[64]．有効性の持続が課題であることは上部および下部消化管狭窄と同様であるが，再狭窄に対して EBD や適切に内科治療を追加することで，累積手術回避率が 3 年で 73% と報告しているコホート研究もある[65]．
- 狭窄症状が再燃した場合には再度 EBD を施行してもよいが，頻回に EBD を要する場合は外科的手術を考慮すべきである．
- 合併症としては出血，穿孔，腹膜炎などがあるが，上述のように頻度は高くない．
- 上部消化管や経口的アプローチの BAE で行う EBD では，誤嚥性肺炎や膵炎などのリスクもある．

（平井郁仁）

## 文献

1) 潰瘍性大腸炎・クローン病 診断基準・治療指針（令和元年度改訂版）．厚生労働科学研究費補助金 難治性疾患等政策研究事業「難治性炎症性腸管障害に関する調査研究」（鈴木班）令和元年度分担研究報告書，2020
2) De Cruz P et al：Crohn's disease management after intestinal resection：a randomised trial. Lancet 385：1406-1417, 2015
3) Colombel JF et al：Effect of tight control management on Crohn's disease（CALM）：a multicentre, randomised, controlled phase 3 trial. Lancet 390：2779-2789, 2018
4) Torres J et al：ECCO guidelines on therapeutics in Crohn's disease：medical treatment. J Crohn Colitis 14：4-22, 2020
5) Seow CH et al：Budesonide for induction of remission in Crohn's disease. Cochrane Database Syst Rev（3）：CD000296, 2008
6) Sarlos P et al：Steroid but not biological therapy elevates the risk of venous thromboembolic events in inflammatory bowel disease：a meta-analysis. J Crohns Colitis 12：489-498, 2018
7) Kakuta Y et al：NUDT15 codon 139 is the best pharmacogenetic marker for predicting thiopurine-induced severe adverse events in Japanese patients with inflammatory bowel disease：a multicenter study. J Gastroenterol 53：1065-1078, 2018
8) Colombel JF et al：Infliximab, azathioprine, or combination therapy for Crohn's disease. N Engl J Med 362：1383-1395, 2010
9) Lémann M et al：A randomized, double-blind, controlled withdrawal trial in Crohn's disease patients in long-term remission on azathioprine. Gastroenterology 128：1812-1818, 2005
10) Peyrin-Biroulet L et al：Azathioprine and 6-mercaptopurine for the prevention of postoperative recurrence in Crohn's disease：a meta-analysis. Am J Gastroenterol 104：2089-2096, 2009
11) Rutgeerts P et al：Predictability of the postoperative course of Crohn's disease. Gastroenterology 99：956-963, 1990
12) Mastumoto T et al：Adalimumab monotherapy and a combination with azathioprine for Crohn's disease：a prospective, randomized trial. J Crohns Colitis 10：1259-1266, 2016
13) Beaugerie L et al：Lymphoproliferative disorders in patients receiving thiopurines for inflammatory bowel disease：a prospective observational cohort study. Lancet 374：1617-1625, 2009

# 第4章　内科治療

14) Toruner M et al：Risk factors for opportunistic infections in patients with inflammatory bowel disease. Gastroenterology 134：929-936, 2008
15) Rutgeerts P et al. Controlled trial of metronidazole treatment for prevention of Crohn's recurrence after ileal resection. Gastroenterology 108：1617-1621, 1995
16) Thia KT et al. Ciprofloxacin or metronidazole for the treatment of perianal fistulas in patients with Crohn's disease：a randomized, double-blind, placebo-controlled pilot study. Inflamm Bowel Dis 15：17-24, 2009
17) 潰瘍性大腸炎・クローン病診断基準・治療指針（令和元年度改訂版）．厚生労働科学研究費補助金 難治性疾患克服事業「難治性炎症性腸管障害に関する調査研究」（鈴木班），令和元年度分担研究報告書 別冊．p.35, 2020
18) Zachos M et al：Enteral nutritional therapy for induction of remission in Crohn's disease. Cochrane Database Syst Rev（1）：CD000542, 2007
19) Bamba T et al：Dietary fat attenuates the benefits of an elemental diet in active Crohn's disease：a randomized controlled trial. Eur J Gastroenterol Hepatol 15：151-157, 2003
20) Nguyen DL et al：Specialized enteral nutrition therapy in Crohn's disease patients on maintenance infliximab therapy：a meta-analysis. Therap Adv Gastroenterol 8：168-175, 2015
21) 鈴木康夫 他：クローン病における栄養療法の位置付け．栄評治 24：325-326, 2007
22) Takagi S et al：Effectiveness of an 'half elemental diet' as maintenance therapy for Crohn's disease：A randomized-controlled trial. Aliment Pharmacol Ther 24：1333-1340, 2006
23) Hisamatsu T et al：Effect of elemental diet combined with infliximab dose escalation in patients with Crohn's disease with loss of response to infliximab：CERISIER trial. Intest Res 16：494-498, 2018
24) Fukuda Y et al：Adsorptive granulocyte and monocyte apheresis for refractory Crohn's disease：an open multicenter prospective study. J Gastroenterol 39：1158-1164, 2004
25) Fukunaga K et al：Selective depletion of peripheral granulocyte/monocyte enhances the efficacy of scheduled maintenance infliximab in Crohn's disease. J Clin Apher 25：226-228, 2010
26) Neurath MF：Cytokines in inflammatory bowel disease. Nat Rev Immunol 14：329-342, 2014
27) Slevin SM et al：New Insights into the Mechanisms of Action of Anti-Tumor Necrosis Factor-alpha Monoclonal Antibodies in Inflammatory Bowel Disease. Inflamm Bowel Dis 21：2909-2920, 2015
28) Matsuoka K et al：Evidence-based clinical practice guidelines for inflammatory bowel disease. J Gastroenterol 53：305-353, 2018
29) Sands BE et al：Infliximab maintenance therapy for fistulizing Crohn's disease. N Engl J Med 350：876-885, 2004
30) Panaccione R et al：Efficacy and Safety of Adalimumab by Disease Duration：Analysis of Pooled Data From Crohn's Disease Studies. J Crohns Colitis 13：725-734, 2019.
31) Colombel JF et al：Effect of tight control management on Crohn's disease（CALM）：a multicentre, randomised, controlled phase 3 trial. Lancet 390：2779-2789, 2018
32) Peyrin-Biroulet L et al：Selecting Therapeutic Targets in Inflammatory Bowel Disease（STRIDE）：Determining Therapeutic Goals for Treat-to-Target. Am J Gastroenterol 110：1324-1338, 2015
33) Kaur M et al：Factors That Contribute to Indeterminate Results From the QuantiFERON-TB Gold In-Tube Test in Patients With Inflammatory Bowel Disease. Clin Gastroenterol Hepatol 16：1616-1621.e1, 2018
34) Van Assche G et al：Withdrawal of immunosuppression in Crohn's disease treated with scheduled infliximab maintenance：a randomized trial. Gastroenterology 134：1861-1868, 2008
35) Chaparro M et al：Long-term durability of infliximab treatment in Crohn's disease and efficacy of dose "escalation" in patients losing response. J Clin Gastroenterol 45：113-118, 2011
36) Strik AS et al：Suppression of anti-drug antibodies to infliximab or adalimumab with the addition of an immunomodulator in patients with inflammatory bowel disease. Aliment Pharmacol Ther 45：1128-1134, 2017
37) Yokoyama Y et al：Efficacy of Granulocyte and Monocyte Adsorptive Apheresis in Patients with Inflammatory Bowel Disease Showing Lost Response to Infliximab. J Crohns Colitis 14：1264-1273, 2020
38) Narula N et al：Meta-analysis：peri-operative anti-TNF$\alpha$ treatment and post-operative complications in patients with inflammatory bowel disease. Aliment Pharmacol Ther 37：1057-1064, 2013
39) Regueiro M et al：Infliximab Reduces Endoscopic, but Not Clinical, Recurrence of Crohn's Disease After Ileocolonic Resection. Gastroenterology 150：1568-1578, 2016
40) Shinagawa T et al：Rate of Reoperation Decreased Significantly After Year 2002 in Patients With Crohn's Disease. Clin Gastroenterol Hepatol 18：898-907.e5, 2020
41) Hagihara Y et al：Infliximab and/or immunomodulators inhibit immune responses to trivalent influenza

vaccination in adults with inflammatory bowel disease. J Crohns Colitis 8：223-233, 2014
42) van der Woude CJ et al：The Second European Evidenced-Based Consensus on Reproduction and Pregnancy in Inflammatory Bowel Disease. J Crohns Colitis 9：107-124, 2015
43) Matsuoka K et al：T-bet upregulation and subsequent interleukin 12 stimulation are essential for induction of Th1 mediated immunopathology in Crohn's disease. Gut 53：1303-1308, 2004
44) Friedrich M et al：Cytokine Networks in the Pathophysiology of Inflammatory Bowel Disease. Immunity 50：992-1006, 2019
45) Feagan BG et al：Ustekinumab as Induction and Maintenance Therapy for Crohn's Disease. N Engl J Med 375：1946-1960, 2016
46) Hanauer SB et al：IM-UNITI: Three-year Efficacy, Safety, and Immunogenicity of Ustekinumab Treatment of Crohn's Disease. J Crohns Colitis 14：23-32, 2020
47) Papp K et al：Safety Surveillance for Ustekinumab and Other Psoriasis Treatments From the Psoriasis Longitudinal Assessment and Registry （PSOLAR）. J Drugs Dermatol 14：706-714, 2015
48) Sandborn WJ et al；GEMINI 2 Study Group：Vedolizumab as induction and maintenance therapy for Crohn's disease. N Engl J Med 369：711-721, 2013
49) Hu A et al：Combination Therapy Does Not Improve Rate of Clinical or Endoscopic Remission in Patients with Inflammatory Bowel Diseases Treated With Vedolizumab or Ustekinumab. Clin Gastroenterol Hepatol S1542-3565(20)30973-3, 2020
50) Van Assche G et al：Progressive multifocal leukoencephalopathy after natalizumab therapy for Crohn's disease. N Engl J Med 353：362-368, 2005
51) Engel T et al：Vedolizumab in IBD-Lessons From Real-world Experience；A Systematic Review and Pooled Analysis. J Crohns Colitis 12：245-257, 2018
52) Moens A et al：Pregnancy outcomes in inflammatory bowel disease patients treated with vedolizumab, anti-TNF or conventional therapy：results of the European CONCEIVE study. Aliment Pharmacol Ther 51：129-138, 2020
53) Lahat A et al：Vedolizumab Levels in Breast Milk of Nursing Mothers With Inflammatory Bowel Disease. J Crohns Colitis 12：120-123, 2018
54) Sato Y et al：Long-term course of Crohn's disease in Japan：Incidence of complications, cumulative rate of initial surgery, and risk factors at diagnosis for initial surgery. J Gastroenterol Hepatol 30：1713-1719, 2015
55) Cosnes J et al：Long-term evolution of disease behavior of Crohn's disease. Inflamm Bowel Dis 8：244-250, 2002
56) Arima S et al：The history of surgery for Crohn's disease at Chikushi Hospital. Med Bull Fukuoka Univ 29：113-119, 2002
57) 舟山裕士 他：Crohn病腸管病変に対する外科治療．大肛会誌 63：875-880, 2010
58) 畠山定宗 他：Crohn病の胃・十二指腸病変の長期経過―内視鏡所見の定量化による評価．胃と腸 34：1239-1248, 1999
59) Bamba S et al：A nationwide, multi-center, retrospective study of symptomatic small bowel stricture in patients with Crohn's disease. J Gastroenterol 55：615-626, 2020
60) 松井敏幸 他：消化管狭窄に対する拡張術とステント療法ガイドライン．日本消化器内視鏡学会卒後教育委員会（編）：消化器内視鏡ガイドライン（第3版）．医学書院，p.234-246, 2006
61) 平井郁仁 他：クローン病腸管狭窄に対する内視鏡的拡張術．日消誌 109：386-392, 2012
62) Bettenworth D et al：Efficacy of Endoscopic Dilation of Gastroduodenal Crohn's Disease Strictures：A Systematic Review and Meta-Analysis of Individual Patient Data. Clin Gastroenterol Hepatol 17：2514-2522, 2019
63) Morar PS, et al：Systematic review with meta-analysis：endoscopic balloon dilatation for Crohn's disease strictures. Aliment Pharmacol Ther 42：1137-1148, 2015
64) Hirai F：Current status of endoscopic balloon dilation for Crohn's disease. Intest Res 15：166-173, 2017
65) Hirai F et al：Long-term outcome of endoscopic balloon dilation for small bowel strictures in patients with Crohn's disease. Dig Endosc 26：545-551, 2014

## Topics 新しい治療法—漢方薬—

## 1 漢方薬

- 漢方薬は日本の伝統的薬物であり，日本は西洋医学と同等に漢方薬を保険診療で使用できる唯一の医療先進国である．潰瘍性大腸炎には大建中湯，柴苓湯，人参養栄湯など複数の漢方薬が有効性を示してきたが，クローン病では大建中湯の動物モデル，臨床的有効性が示唆されているにすぎない[1〜3]（**表**）．
- 保険収載された漢方薬のほとんどは抽出されたもので，農薬，重金属，抗生物質などが検出されないことが確認され，安全性がきわめて高い．市販される漢方薬の一部はこの点が危惧される．

### 日本以外のハーバルメディシン

原産地の状況によっては重金属，農薬などが混入している可能性があり，米国，英国では中国の中医薬をはじめ多くのハーバルメディシンを排除してきたが，ツムラ漢方薬の大建中湯が初めて臨床治験薬 TU-100 として承認されたことは，日本の漢方薬に対する信頼性の高さを物語っている．

なお，TU-100 について，Mayo Clinic で大建中湯のプラセボ二重盲検臨床試験によって大建中湯の有効性が実証されたことは特筆すべき点である[4]．最近，全国規模で行われた3つのプラセボ二重盲検臨床試験のプールド解析でも術後イレウス改善に有効であることが明らかとなった[5]．

- 漢方薬は消化器外科領域を中心に臨床で高い実績と信用を得ながら，薬効発現の本質的な機序が不明であったが，最も多く臨床使用されている大建中湯の薬効機序が分子レベルで明らかとなってきた[6〜8]．また，速やかに吸収され主要成分の血中濃度が高まることがヒトで明らかとなった[2, 9〜11]．

### 大建中湯とその薬効機序

大建中湯（ダイケンチュウトウ，略称 DKT，TJ-100）はわずか4種類の生薬（山椒，乾姜，人参，膠飴）エキスから構成されている．90%以上はマルトース（膠飴）と賦形剤であり，甘く飲みやすい．大建中湯は1回5g，1日3回食前，食間など空腹時に服用することを基本としている．プールド解析結果から1日10g以上，肥満のある人や高齢者は15g服用しないと十分な血中濃度を維持できないことが明らかとなった[5]．

**表　炎症性腸疾患と漢方薬**

|  | 潰瘍性大腸炎 | | クローン病 | | 薬物動態 | 副作用<br>長期連用 |
|---|---|---|---|---|---|---|
|  | 動物モデル | 臨床 | 動物モデル | 臨床 | | |
| 大建中湯<br>（TJ-100，ダイケンチュウトウ） | 有効 | 有効 | 有効 | 有効 | あり | 少ない<br>問題なし |
| 柴苓湯<br>（TJ-114，サイレイトウ） | 有効 | 有効 | なし | なし | なし | 要注意 |
| 人参養栄湯<br>（TJ-108，ニンジンヨウエイトウ） | なし | 有効 | なし | なし | なし | 要注意 |

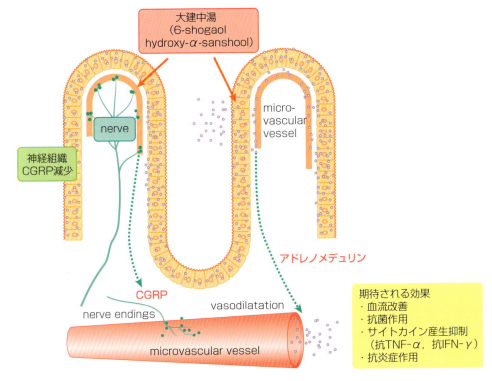

図　大建中湯の薬効機序

### 分子レベルの機序

大建中湯の代表的な薬効である腸管血流増加作用を検証した結果，山椒の主成分 hydroxy-α-sanshool，乾姜の主成分 6-shogaol が腸管粘膜に作用し，神経終末から放出される神経ペプチド calcitonin gene related peptide（CGRP），腸管上皮細胞から放出されるアドレノメデュリンという2つの強力な微小血管拡張作用を有するカルシトニンファミリーペプチドを介して作用を発現し，さらに受容体関連因子をも増強させることで腸管血流を増加させることが明らかとなった（**図**）．

### カルシトニンファミリーペプチド

カルシトニンファミリーペプチドである CGRP とアドレノメデュリンは微小血管拡張作用だけでなく抗サイトカイン作用，特にクローン病に関連する TNF-α 産生抑制効果が強い．抗炎症性作用とともに抗菌作用もあり，腸管内に放出されるアドレノメデュリンによる腸内細菌への作用も検討されている．

### 漢方薬の薬物動態試験

薬物動態試験はこれまで漢方薬ではほとんど行われてこなかったが，FDA からの要請もあり大建中湯で行ったところ hydroxy-α-sanshool と 6-shogaol が15分以内に吸収されることが明らかとなり，薬効機序を考えるうえで重要な示唆となった．

## 2 腸管血流からみたクローン病

- クローン病の腸管血流は健常人の約半分といわれている．腸間膜側に縦走潰瘍が出現するのも腸間膜側の血流支配の脆弱性が原因という仮説がある[注1]．

> 注1）繰り返す全層性の炎症によって神経組織へのダメージも大きく，神経組織で産生されるCGRPの減少がクローン病の血流障害や炎症などに関与していることが示唆されている．消化管粘膜に至る血流は腸間膜内を走行する血管が腸間膜側で long artery branch と short artery branch に分枝する．long artery branch 同士は頻回に吻合しながら腸間膜対側に分布するが，short artery branch はほとんど吻合しないで腸間膜側に分布するので血流不全に陥りやすい．

- クローン病では凝固系が亢進していて血栓を形成しやすい[注2]．

> 注2）抗血栓薬投与がクローン病の再燃防止に有効であることは臨床的に実証されている[12,13]．

## 3 大建中湯とクローン病

- 大建中湯がターゲットとしている2つのペプチドCGRPとアドレノメデュリンは，以前よりクローン病との強い関連が臨床的にも実験的にも報告されている[注3]．クローン病患者の約70%は開腹手術を受けるといわれており，再手術率も5年で約20%と高い．その再手術率を大建中湯が減少させることがIBD治療の中心的な病院から報告されている[14]．

> 注3）外来性CGRPが動物モデルで効果があることが報告されている．また，アドレノメデュリンに関しても，動物モデルで外来性に投与することで効果があることが報告されており，CGRPとアドレノメデュリンがクローン病の治療薬としての可能性を示唆される結果ではあるが，外来性に投与することは全身の循環動態への影響，デリバリーの問題などから不可能である．

- 大建中湯は，神経組織にダメージを受けCGRPがうまく働かない状態のクローン病腸管において，腸管粘膜上皮からアドレノメデュリンを放出させ，CGRP減少を補う形で血流異常に対して有効である可能性がある[注4]．

> 注4）クローン病動物モデルで大建中湯の効果が確認されている[2,3]．臨床でも術後の維持療法としてクローン病再手術率を下げる効果が報告されている[14]．インフリキシマブやアダリムマブなどの抗体療法では自己抗体産生などの副作用により，長期使用も制限されることが多い．また，費用面においても莫大である．

- アドレノメデュリンはTNF-αの産生を抑制する作用があり，現在のクローン病治療における最も有効かつ有力な治療薬であるインフリキシマブ（レミケード®）やアダリムマブ（ヒュミラ®）とまったく同じ治療ターゲットである．
- クローン病に対する腸内細菌の病因論的関与が示唆されつつあるが，大建中湯によって腸内細菌叢が変動する可能性が示唆され[15]，新たな作用機序として注目されている．

- 作用機序の異なる大建中湯との併用により，抗体製剤治療の期間も使用量も軽減できる可能性がある．したがって大建中湯が医療費抑制に貢献できる可能性がある[注5]．

> 注5) これまで開発されてきた多くのクローン病治療薬は対象が重症患者であり，患者全体の20～30%程度である．一方，中等症以下の患者に対する治療薬はなく，大建中湯は中等症以下の患者を対象としている．

- 長期，短期ともに重篤な副作用がないことも特徴である．大建中湯の生薬はすべて食品として使用されてきたものからできている（医食同源）．

（河野　透）

## 文献

1) Akamaru Y et al：Effects of daikenchuto, a Japanese herb, on intestinal motility after total gastrectomy：a prospective randomized trial. J Gastrointest Surg 19：467-472, 2015
2) Kono T et al：Daikenchuto (TU-100) ameliorates colon microvascular dysfunction via endogenous adrenomedullin in Crohn's disease rat model. J Gastroenterol 46：1187-1196, 2011
3) Kono T et al：Anti-colitis and -adhesion effects of daikenchuto via endogenous adrenomedullin enhancement in Crohn's disease mouse model. J Crohns Colitis 4：161-170, 2010
4) Manabe N et al：Effect of daikenchuto (TU-100) on gastrointestinal and colonic transit in humans. Am J Physiol Gastrointest Liver Physiol 298：G970-975, 2010
5) Kono T et al：Daikenchuto accelerates the recovery from prolonged postoperative ileus after open abdominal surgery：a subgroup analysis of three randomized controlled trials. Surg Today 49：704-711, 2019
6) Kubota K et al：Hydroxy-$\alpha$ sanshool induces colonic motor activity in rat proximal colon：a possible involvement of KCNK9. Am J Physiol Gastrointest Liver Physiol 308：G579-590, 2015
7) Katsuno H et al：Clinical efficacy of Daikenchuto for gastrointestinal dysfunction following colon surgery：a randomized, double-blind, multicenter, placebo-controlled study (JFMC39-0902). Jpn J Clin Oncol 45：650-656, 2015
8) Kubota K et al：Daikenchuto, a traditional Japanese herbal medicine, promotes colonic transit by inducing a propulsive movement pattern. Neurogastroenterol Motil 31：e13689, 2019
9) Munekage M et al：Population pharmacokinetic analysis of daikenchuto, a traditional Japanese medicine (Kampo) in Japanese and US health volunteers. Drug Metab Dispos 41：1256-1263, 2013
10) Munekage M et al：Pharmacokinetics of daikenchuto, a traditional Japanese medicine (kampo) after single oral administration to healthy Japanese volunteers. Drug Metab Dispos 39：1784-1788, 2011
11) Iwabu J et al：Profiling of the compounds absorbed in human plasma and urine after oral administration of a traditional Japanese (kampo) medicine, daikenchuto. Drug Metab Dispos 38：2040-2048, 2010
12) Nguyen GC et al：Consensus statements on the risk, prevention, and treatment of venous thromboembolism in inflammatory bowel disease：Canadian Association of Gastroenterology. Gastroenterology 146：835-848 e6, 2014
13) Hatoum OA et al：The vascular contribution in the pathogenesis of inflammatory bowel disease. Am J Physiol Heart Circ Physiol 285：H1791-1796, 2003
14) Kanazawa A et al：Daikenchuto, a traditional Japanese herbal medicine, for the maintenance of surgically induced remission in patients with Crohn's disease：a retrospective analysis of 258 patients. Surg Today 44：1506-1512, 2014
15) Hasebe T et al：Daikenchuto (TU-100) shapes gut microbiota architecture and increases the production of ginsenoside metabolite compound K. Pharmacol Res Perspect 4：e00215, 2016

# 第5章 外科治療

## 1 腸管病変

- クローン病の外科治療は内科治療で改善しない病変のみに対して行い，QOL の向上を目的とする．
- クローン病の腸管病変に対する手術では，原則として切除をなるべく小範囲とする．小腸病変に対して施行可能な症例では狭窄形成術を行い，腸管はなるべく温存する．
- 術前には内視鏡検査，造影検査，CT 検査，MRI などを用い腸管病変の状態と腹壁や他臓器を含む腸管外周囲への炎症の波及などを総合的に診断し，治療戦略を立てる．
- 長期経過例では小腸癌，大腸癌の合併に留意する．
- 術後は再発のため再手術を必要とする症例があり，また，長期経過例では人工肛門造設や少数ではあるが，小腸機能障害による在宅中心静脈栄養療法を必要とする症例がある．

### ❶ 手術適応と手術のタイミング

クローン病の手術適応を表1[1]に示す．

#### 1）緊急手術あるいは準緊急手術の適応

- 内科治療で改善しない腸閉塞，膿瘍（腹腔内膿瘍，後腹膜膿瘍），穿孔，大量出血，中毒性巨大結腸症は緊急手術あるいは準緊急手術の適応である．膿瘍合併例ではドレナージが可能であれば，準緊急手術，あるいは待機手術が可能な場合がある．出血例では全身状態が安定していれば，手術を視野に入れながら内科治療を行う．

#### 2）待機手術の適応

(1) 狭 窄
- 狭窄には活動性病変による浮腫性狭窄と線維性狭窄，少数ではあるが癌による狭窄が

表1　クローン病の手術適応

（1）絶対的手術適応
　①穿孔，大量出血，中毒性巨大結腸症，内科的治療で改善しない腸閉塞，膿瘍
　　（腹腔内膿瘍，後腹膜膿瘍）
　②小腸癌，大腸癌（痔瘻癌を含む）
〈注〉①は（準）緊急手術の適応である．

（2）相対的手術適応
　①難治性腸管狭窄，内瘻（腸管腸管瘻，腸管膀胱瘻など），外瘻（腸管皮膚瘻）
　②腸管外合併症：成長障害など
　③内科治療無効例
　④難治性肛門部病変（痔瘻，直腸腟瘻など），直腸肛門病変による排便障害
　　（頻便，失禁など QOL 低下例）

（文献1）より引用）

あり，浮腫性狭窄は内科治療の適応である．線維性狭窄のうち，口側拡張が著しいもの，短い範囲に多発するもの，狭窄の範囲が長いもの，瘻孔を伴うもの，狭窄による症状を繰り返すもの，癌による狭窄が手術適応である．
- おおよそ5cm以内の線維性狭窄に対して内視鏡的拡張術が有効な症例があるが[2]，短期間で症状が再出現する際は手術を考慮する．

(2) 瘻孔
- 内瘻のうち，右結腸-十二指腸瘻のようにバイパス化しているもの，瘻孔による炎症の波及や線維化によって狭窄をきたしたもの，膀胱瘻あるいは尿道瘻，瘻孔が多発し数係蹄の腸管が一塊になっているものは手術適応である．
- 外瘻のうち，内科治療を行っても多量の腸液が流出するものは手術適応である．

(3) 膿瘍
- クローン病でみられる膿瘍は発生部位により腸管腹壁膿瘍，腸間膜内膿瘍，腸管係蹄間膿瘍，後腹膜膿瘍などがある．可能な膿瘍にはまず穿刺ドレナージを行う．
- 症状のない小さな膿瘍以外は一旦改善しても，経口摂取で再発する場合が多く，原則的に手術適応である．

(4) 癌合併
- クローン病に合併する癌（いわゆるcolitic cancer）は，わが国では直腸肛門部に多いが[3]，結腸や小腸にも発生するため注意を要する．
- クローン病は腸管壁の肥厚，腫瘤形成など癌に類似した肉眼形態をとり，狭窄を合併するため，癌の術前の診断は困難である．
- 長期経過例，特に狭窄や痔瘻の手術時には癌の合併を念頭に置き，疑わしい症例では術中病理組織診断を行い術式を決定するか，切除を考慮する．
- わが国の多施設共同研究で，10年以上経過した痔瘻を含む直腸肛門病変合併例ではサーベイランスにより5%の症例に癌が発見されており，これら長期経過例では癌の合併を考慮して積極的な細胞診，麻酔下や内視鏡下を含む生検，画像診断を行う[4]．特に，下血，狭窄，疼痛，粘液の増加などの臨床症状の悪化は重要な所見である．

### 3) 小児
- 小児では上記の手術適応に加え，内科治療によって改善しない栄養障害の合併やステロイド剤の副作用による成長障害をきたした症例も手術適応である[1]．
- 手術適応の判断，周術期管理は小児科医と十分に連携して行う[1]．
- 成長障害は成長曲線や骨年齢によって評価し，思春期発来前に手術を行う[1]．
- 原病やその内科治療のために就学が困難な症例では手術を考慮する[5]．

## ❷ 術前検査
- 小腸造影検査，注腸造影検査は病変の状態，狭窄や拡張の程度，内瘻の有無，外瘻形成部位，大まかな腸管の長さ，他の腸管との位置関係，腹腔内での病変の位置など，手術に必要な多くの情報を得るのに有用である．

# 第5章 外科治療

- 内視鏡は腸管の粘膜病変を直接観察し、病変部のマーキングなどの処置ができる。小腸内視鏡の進歩により小腸病変へのアプローチも可能になった。
- CT検査、MRIでは腹部、骨盤を一度に観察でき、撮影法の工夫や多断面での観察により、腸管の炎症や潰瘍の存在、腸管壁の肥厚、周囲への炎症の波及、膿瘍形成、他臓器との関連などがわかり有用である。
- これらの検査を総合し、開腹の位置、大きさ、腸管切除範囲、狭窄形成術の適否、腹壁、後腹膜、他臓器への操作、腹腔鏡下手術の可否を検討する。

## ❸ 手術術式

### 1）概要

- 内科治療で改善のない病変のみを外科治療の対象とし、切除はなるべく小範囲にとどめる。
- 小腸狭窄に対しては病変が残るものの腸管が温存できる狭窄形成術を行う。
- バイパス術は病変腸管を空置するため、原則として胃十二指腸狭窄以外には行わない。

### 2）開腹

- 再発による複数回の再手術や人工肛門造設を要する場合があり、基本的になるべく短い正中切開で開腹し、可能な限り小腸の長さと病変の部位、範囲などを計測し記録する。

### 3）腸管の切離

- 病変部腸管の切除の際、正常腸管を多く切除して切除断端の距離を長くとっても、短くしても術後再発率に有意差はないため[6]、通常は病変部に近い正常腸管で切離する。
- 複数の病変に挟まれた短い正常腸管の温存は、温存できる腸管の長さ、術後に残る腸管全体（主に小腸）の長さ、温存した場合に吻合部となる腸管の状態などを考慮して決定する。
- 術中、切除を必要とする病変範囲は視触診で可能であるが、必要に応じて内視鏡検査を施行する場合がある。

**MEMO　吻合部となる腸管**

吻合部となる腸管はそれ自体に病変がなくても、炎症や狭窄、長期の絶食などにより浮腫、菲薄化などをきたした場合がある。複数箇所の吻合は縫合不全のリスクを増すという報告もあり[7]、小腸長が長く確保できる例では短い範囲の正常腸管を温存するために吻合箇所を増やすことは回避し、一括して切除し吻合箇所を減らすよう考慮すべきこともある。

### 4）吻合法

- クローン病の術後再発が吻合部口側に多いことから、吻合部の口径をなるべく大きくする工夫がなされている。

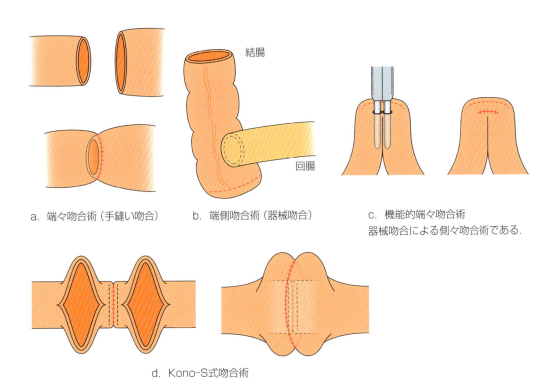

図1　腸管吻合術

- 腸管吻合には端々吻合術以外に，端側吻合術，側端吻合術，機能的端々吻合術（functional end to end anastomosis），側々吻合術が行われる（図1a～c）．施設ごとに吻合法が選択されている．
- システマティックレビュー，ネットワークメタアナリシスで，器械吻合による側々吻合は手縫い吻合と比較して，術後再手術率が低いとする報告[8,9]もあるが，機能的端々吻合術では縫合線からの瘻孔形成や口側の屈曲による狭窄や肛門側の狭窄による内視鏡挿入困難例も経験され，吻合を行う腸管の条件なども考慮して選択する．
- Kono-S式吻合術は，腸管を口側肛門側ともに機械縫合器で切離し，これらを縫合して腸間膜側にsupporting columnとし，口側肛門側をそれぞれ腸管軸方向に切開し，側々吻合する（図1d）．本法は吻合部再発による再手術がほとんどないとの報告があり[10]，長い観察期間での研究が進行中である．
- 手縫いによる縫合法はAlbert Lembert法，Gambee法，全層一層縫合など，一般的な腸管の吻合と同様である．狭窄のため口側腸管と肛門側腸管に口径差がある場合は肛門側を斜めに切離したり，腸間膜対側を小切開したりしてなるべく口径差を小さくして吻合する．口径差が大きい場合には側々吻合術や側端吻合術を選択する．
- 狭窄病変の口側腸管や炎症に巻き込まれた腸管は，壁が肥厚，硬化して弱いため，吻合時には器械による圧挫や縫合糸の締めすぎで壁を損傷しないよう注意する．

# 第5章 外科治療

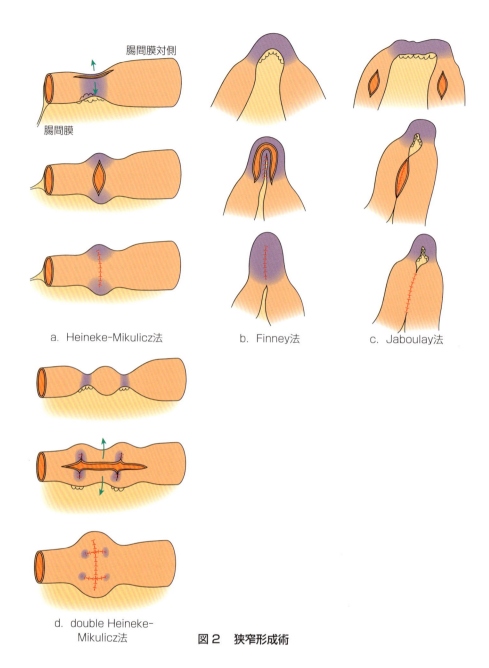

a. Heineke-Mikulicz法
b. Finney法
c. Jaboulay法
d. double Heineke-Mikulicz法

図2 狭窄形成術

## 5) 狭窄形成術

- 狭窄形成術を要する病変の術中判断はバルーンカテーテルで内腔が2cm以下のものや双指診で狭窄部を挟み，内腔が示指頭以下のものである．
- 狭窄形成術の適応がない狭窄病変は，著しい線維化で壁が硬いもの，活動性の強い炎症があるもの，瘻孔形成を伴うもの，内腔が著しく狭小化しているもの，短い範囲に多数の狭窄があるもので，これらに対しては小範囲部分切除が望ましい．
- 5cm前後の短い狭窄に対してHeineke-Mikulicz法（図2a），比較的長い狭窄には

Finney法（図2b）やJaboulay法（図2c），近接した小範囲の狭窄にはDouble Heineke-Mikulicz法を選択する（図2d）[11]．残りの腸管が短くなるなどの理由で切除が好ましくない症例の長い狭窄にはside-to-side isoperistaltic strictureplastyを行う[12]．

- Heineke-Mikulicz法では狭窄部の腸間膜対側の壁を腸管軸方向に切開し，腸管軸と直行するように縫合する（図2a）．縫合の開始部と終了部が病変であるため注意する[13]．
- 狭窄形成術では壁が線維化し硬いが脆い腸管壁を縫合するため，運針，糸の結紮などの操作では壁の損傷に十分に注意する．

## 6）病変に巻き込まれた正常腸管，他臓器，腹壁，後腹膜の扱い

- クローン病では病変部腸管が正常腸管，腸間膜，膀胱，腹壁，後腹膜などに線維性癒着や膿瘍形成をきたし，これらに他の正常腸管が巻き込まれて癒着している場合がある．線維化のため病変部腸管とそれら被害腸管の剝離が困難な際は，切除する病変部腸管やその腸間膜の近くで剝離する．
- 炎症に巻き込まれた正常腸管は損傷なく剝離できれば温存する．小さな瘻孔形成などでごく限られた範囲の病変であれば，楔状切除でよい．損傷などで切除が必要であれば，小範囲の部分切除とする．
- 膀胱瘻では大きな瘻管がなければ，膀胱部分切除は行わず，瘻孔部を縫合する．皮膚瘻は小範囲であれば切除するが炎症が広がっている場合は搔爬のみとする．ほとんどの瘻孔は，原因となるクローン病の腸管病変がなくなれば閉鎖する．
- 膿瘍腔はできれば開放するが，後腹膜膿瘍，腹壁膿瘍などで広範囲な場合は内容の搔爬と洗浄を行い，ドレーンを留置する．

## 7）人工肛門造設術

- クローン病では，難治性直腸肛門病変，病変部空置，吻合部の保護，穿孔など腹膜炎手術時の吻合困難などで人工肛門を造設する場合がある．
- 人工肛門はクローン病の腸管病変，腹腔内癒着や既往手術による腹壁瘢痕などによって，人工肛門に適した腸管でかつ最適な貼用面が得られる腹壁に造設できない場合があるため，術前に数箇所のストーマサイトマーキングを行っておく．
- 人工肛門は造設を必要とした病態によって閉鎖率が異なり，難治性直腸肛門病変に対して造設した人工肛門は閉鎖しても病変が再発することが多く，閉鎖は困難である[14]．
- 人工肛門周囲皮膚瘻，人工肛門口側狭窄，傍人工肛門壊疽性膿皮症などの合併症があり，人工肛門を再造設する場合がある[15]．

## 8）腹腔鏡下手術

- クローン病は良性疾患で若年者に多く，再手術を要する場合もあるため，整容面や人工肛門造設の可能性などを考慮して，可能な症例には腹腔鏡下手術を行う．
- 瘻孔，膿瘍や炎症性腫瘤形成例，複雑な瘻孔形成例，既往手術などによる高度な癒着がある症例，緊急手術例などでは腹腔鏡下手術は困難で，経験のある専門施設で行い，

# 第5章 外科治療

開腹術を考慮する.

## ❹ 術後経過

### 1) QOL
- クローン病の術後は，内科治療で改善できなかった病変による症状が改善し，通院，入院の回避やQOLの改善が期待できる[16]．一方，経過中に腸管病変の再発があり，治療の継続が必要である．

### 2) 術後再発率，再手術率
- 諸家の報告によれば，内視鏡的な病変の出現は1年で70%以上あるものの，再手術率はわが国の多施設共同研究で，2002年以降は以前より低下し，5年で18.5%，10年で40.9%と報告された[17]．
- 再発に関与する因子について，喫煙者，穿孔型（穿孔，瘻孔，膿瘍），腸管切除の既往歴，若年発症，小腸病変の切除，広範囲の切除，肛門病変の合併などがあげられている[18~20]．

### 3) 再発予防法
- 術後は臨床的再発前に腸管病変が出現することを念頭に置き，腸管病変に対する画像検査を6~12ヵ月で施行し，内科治療法を決定することが重要である[20]．
- 術後6ヵ月後の内視鏡所見に基づいた内科治療［アダリムマブかアザチオプリン（AZA）］で再発率が低下することが報告された[19]．
- 吻合法では，Kono-S吻合は平均65ヵ月の観察で再発率が低いとの報告がある[10]．
- 薬物療法による再発予防について，アミノサリチル酸製剤では小腸型の手術例で再発を抑制するとの報告や[21]，6-メルカプトプリン（6-MP：ロイケリン®），AZA（イムラン®）は術後1年で再発率を低下させたとのメタアナリシスがある[22]．
- アダリムマブがAZAとメサラミンと比較して，術後2年までの臨床的，内視鏡的な再発が有意に低いとする報告があり[23]，また，メタアナリシスでも抗TNF-α抗体製剤（アダリムマブとインフリキシマブ）が臨床的，内視鏡的再発の予防に効果があることが示された[24,25]．
- 手術の際には現時点で確実な術後再発予防法はないことを考慮し，できる限り小腸を温存することが重要である．

### 4) 小腸機能不全
- 複数回手術による小腸の大量切除で，小腸機能不全をきたす場合があり，わが国の多施設共同研究では初回手術後10年で3.6%と報告されている[26]．
- 小腸機能不全となる残りの小腸長は140~180 cmとされ，小腸病変の有無，大腸利用の可否，人工肛門の有無などさまざまな条件に左右され報告によって幅があるものの，わが国の多施設共同研究では163 cmであった[26]．
- 小腸機能不全では栄養障害をきたすばかりではなく，水分電解質異常をきたし，中心

静脈栄養療法を必要とする場合が多い．経過中に中心静脈栄養療法を離脱できる症例もある．
- 中心静脈栄養療法中は感染による敗血症，肝機能障害，電解質異常，血栓形成などの合併症に注意が必要である．

（小金井一隆・杉田　昭）

## 2　肛門病変

### ❶ 外科治療の選択

- 肛門病変のうち，潰瘍性病変には局所的な外科治療の適応はなく，軽症の裂肛以外には腸病変に準じた内科的治療を行う．
- 感染性の肛門病変である痔瘻・膿瘍，緊満した皮垂，肛門狭窄が局所的な外科的治療の対象となる[27]．
- 痔瘻・膿瘍に対する外科治療としては，切開排膿，痔瘻切除術，シートン法ドレナージ，人工肛門造設（一時的），直腸切断術が選択される．
- 局所的な外科治療の目標は，症状の軽減と長期的な肛門機能の保持である[28]．

### ❷ 外科治療の実際

- 痔瘻切除術は，単純痔瘻に対しても術後経過は不良のため，適応の判断は慎重に行う（図3）[29]．診断の項（「第1章③肛門病変の診断基準」）で示したAGA（American Gastroenterological Association）の分類ではsimple fistulaが適応とされているが，クローン病ではまれな痔瘻の病態である．
- シートン法ドレナージは，肛門管の原発口と二次口あるいは肛門周囲の二次口間にシートンを留置して継続的なドレナージを行い，炎症の軽減，瘻管の単純化を図る方法で，肛門括約筋へのダメージも少なくクローン病に適した外科治療である．

創治癒不良（11時）・他部位再発（1時）

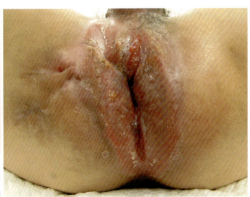
2回の手術歴：便失禁（全周性皮膚びらん）
広範な瘻孔・膿瘍の再発＝人工肛門の適応

図3　クローン病痔瘻切除後の経過

# 第5章 外科治療

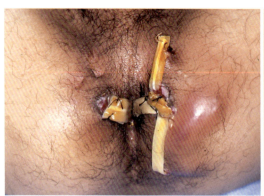
不良なシートン法
ペンローズ長期留置のまま観察
左臀部に膿瘍形成

良好なドレナージ：1-3時・11時-陰嚢部
不良肉芽を搔爬した大きな二次口切開部

図4　シートン法ドレナージ

表2　クローン病肛門病変に対する治療方針

| | |
|---|---|
| 膿瘍・痔瘻 | 切開排膿＋抗菌薬（メトロニダゾール，ニューキノロン系，セフェム系）<br>痔瘻切除術（創治癒遷延，再発，括約筋損傷のリスク）<br>シートン法ドレナージ＝第一の選択　→　薬物治療の併用<br>人工肛門造設（diverting stoma）<br>直腸切断術 |
| 裂肛・潰瘍 | 痔疾坐剤（軽症の裂肛）<br>腸病変に準じた内科的治療 |
| 皮　垂 | 主病変（瘻孔，潰瘍性病変）に対する治療を優先<br>切除＝有症状例・ドレナージの妨げ |
| 狭　窄 | 肛門狭窄＝経肛門的拡張（用指的・金属ブジー）<br>直腸肛門狭窄＝人工肛門を考慮 |

（文献27, 32）より引用）

- シートンの材料はドレナージ効果とともに肛門部に刺激の少ないペンローズドレーンやベッセルループが用いられる．
- 二次口あるいは膿瘍部は大きく切開し，瘻管内をよく搔爬してシートンを留置する[30]．
- 強く締めて瘻管を切開するカッティングシートンには括約筋損傷のリスクを伴うため，クローン病に対してはゆるく結んでドレナージを継続するルーズ（ドレナージ）シートンが適している．
- 複雑多発痔瘻には複数のシートンを留置して根気強くドレナージを図る[30]．
- 良好な効果を得るためには，麻酔下に不良肉芽の搔爬とシートンの交換を定期的に行うことが肝要で，疼痛の軽減，排液の減少，瘻孔部の不良肉芽の消失を待って抜去する（図4）．

## ❸ クローン病肛門病変に対する治療指針（表2）

- 厚生労働省難治性炎症性腸管障害研究班の外科系施設へのアンケート調査をもとに，

文献検索を加えて 2010 年に治療指針が作成された．
- 病態別および症状別に治療方針が示されている．客観的な重症度の指標として PDAI (Perianal Crohn's Disease Activity Index)[31] も加えた改訂が行われている[32]．

### 1）痔瘻・膿瘍

- 軽症例（日常生活に支障のない程度の自覚症状）には，メトロニダゾールや抗菌薬（ニューキノロン系，セフェム系など）投与も行われるが，切開排膿を加えたほうが効果的である[33]．
- 中等症（持続性の疼痛，排膿）以上の症状がある場合には，限局した膿瘍には大きな切開（図5），広範囲，多発例にはシートン法ドレナージを第一選択とする．
- AGA 分類の simple fistula に相当する下部大腸に活動性病変がなく低位の単発痔瘻であれば，痔瘻切除術も選択肢の一つとなるが，術後の不良な創治癒，高い再発率，および括約筋機能低下のリスクを説明して適応を決定する．
- 複雑多発例や再発を繰り返す場合には，麻酔下の処置を加えながらシートン法を継続する．
- 薬物治療（免疫調節薬，生物学的製剤）の導入は，ドレナージによって局所の感染巣を制御した後に開始する[34]．長期的には肛門狭窄の合併にも留意する[35]．
- 日常生活を制限するほどの高度症状（重症例）があり諸治療によっても制御できない場合には人工肛門造設を考慮する[29]．

### 2）直腸（肛門管）-腟瘻

- 有効な内科的治療はなく，腟からの便・ガスの排出が多い場合には外科治療を考慮する．
- 局所的治療として行われる経肛門的あるいは経腟的な advancement flap 法は，人工肛門の併用あるいは生物学的製剤の投与を必要とするが長期経過は不良である[36]．

### 3）裂肛・肛門潰瘍

- 軽症の裂肛は通常の痔疾坐剤でも効果は得られる．中等度以上の症状があれば，併存する痔瘻・膿瘍の外科的処置に加えて腸病変に準じて内科的治療を選択する．

### 4）皮垂

- 腫脹，緊満した皮垂（edematous pile）は疼痛を伴い排便にも支障をきたす場合には，外科治療を考慮する．
- 痔瘻を誘発することもあり，切除範囲は歯状線にかからない程度の最小限にとどめる（図5）．

### 5）肛門部狭窄

- 肛門狭窄（肛門管に限局した輪状狭窄）と直腸肛門狭窄（長い線維性狭窄）を見極め

# 第5章 外科治療

[切開排膿]

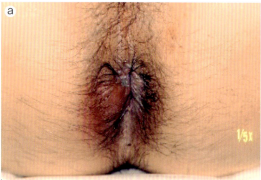

a 9時方向膿瘍　　b 大きな切開創

[肛門拡張]

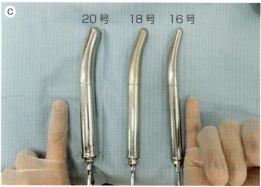
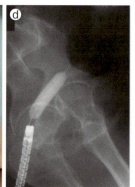

c 用指的 or 金属ブジー（ヘガール型金属ブジー）　　d バルーン拡張

[皮垂切除]

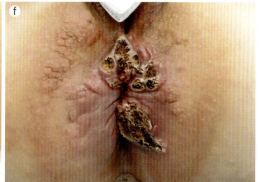

e 全周性の緊満した皮垂　　f 皮垂切除
　裂肛多発・皮膚炎

**図5　クローン病肛門病変に対する外科治療**

　　て治療法を選択する．
- 肛門狭窄に対しては用指的あるいは金属ブジーを用いた経肛門的拡張術の適応となる（図5）．

- 下部直腸病変に関連した直腸肛門狭窄については，拡張術の効果は乏しく，日常生活にも支障をきたす場合には人工肛門，できれば直腸切断術も考慮する．

### 6）人工肛門の適応

- 直腸肛門部癌の合併以外では，著しいQOLの低下をきたす重症の肛門病変が人工肛門造設の適応となる．
- 重症の肛門病変とは，深い潰瘍病変，シートン法ドレナージや薬物療法の併用でも制御できない痔瘻，腟瘻，尿道瘻，高度の直腸肛門狭窄，および肛門機能の低下による便失禁などが相当する（図3）．
- 重症の肛門病変に対する一時的人工肛門，永久的人工肛門（直腸切断術）の選択は，個々の背景を考慮し，患者との協議のもとに決定する．
- 一時的人工肛門造設を行っても直腸肛門病変には再燃および癌合併のリスクがあるため[29]，継続的な観察が必要である．また人工肛門部の再発にも留意する[30]．

## ❹ クローン病痔瘻に対するその他の治療

- Fibrin glue, Fistula plug を用いた外科治療，LIFT（ligation of the inter sphincteric fistula tract）などが試みられているが長期経過は示されていない[37]．最新の治療としては脂肪由来幹細胞の瘻孔内注入が注目されている[38]．

（二見喜太郎）

---

### 文 献

1) クローン病外科治療指針．潰瘍性大腸炎・クローン病 診断基準・治療指針（令和元年度改訂版）．厚生労働科学研究費補助金 難治性疾患等政策研究事業「難治性炎症性腸管障害に関する調査研究」（鈴木班），令和元年度研究分担報告書．p.37-38，2020
2) 平井郁仁 他：クローン病の小腸狭窄に対する内視鏡的バルーン拡張術の長期経過．Gastroenterol Endosc 59：1344-1356，2017
3) 篠崎 大：クローン病と下部消化管癌―本邦の現況．日本大腸肛門病会誌 61：353-363，2008
4) 杉田 昭 他：潰瘍性大腸炎，Crohn病に合併した小腸，大腸がんの特徴と予後―第13報―Crohn病に合併した直腸肛門管癌のsurveillance program 確立についての提案．厚生労働科学研究費補助金 難治性疾患等政策研究事業「難治性炎症性腸管障害に関する調査研究班」，平成29年度総括分担研究報告書．p.138-141，2018
5) 小児クローン病治療指針．潰瘍性大腸炎・クローン病 診断基準・治療指針（令和元年度改訂版）．厚生労働科学研究費補助金 難治性疾患等政策研究事業「難治性炎症性腸管障害に関する調査研究」（鈴木班），令和元年度研究分担報告書．p.42-44，2020
6) Fazio VW et al：Effect of resection margins on the recurrence of Crohn's disease in the small bowel. A randomized controlled trial. Ann Surg 224：563-573, 1996
7) 東大二郎 他：Crohn病における縫合不全の予防と対策．日本大腸肛門病会誌 62：818-822，2009
8) Feng J et al：Stapled side-to-side anastomosis might be benefit in intestinal resection for Crohn's disease：A systematic review and network meta-analysis. Medicine 97：1-6, 2018
9) Guo Z et al：Comparing outcomes between side-to-side anastomosis and other anastomotic configurations after intestinal resection for patients with Crohn's disease：a meta-analysis. World J Surg 37：893-901, 2013

10) Kono T et al：Kono-S anastomosis for surgical prophylaxis od anastomotic recurrence in Crohn's disease：an international multicenter study. J Gastrointest Surg 20：783-790, 2016
11) Sasaki I et al：Extended strictureplasty for multiple short skipped strictures of Crohn's disease. Dis Colon Rectum 39：342-344, 1996
12) Michelassi F：Side to side isoperistaltic strictureplasty for multiple Crohn's disease. Dis Colon Rectum 39：345-349, 1996
13) 小金井一隆 他：Crohn病の狭窄病変に対する狭窄形成術．日本外科学会雑誌 116：183-184, 2015
14) 小金井一隆 他：Crohn病の難治性直腸肛門病変に対する人工肛門造設術の効果と問題点．日消外会誌 38：1543-1548, 2005
15) 杉田 昭：Crohn病人工肛門造設例の経過と合併症の検討―多施設共同研究―（中間報告）．厚生労働科学研究費補助金 難治性疾患克服研究事業「難治性炎症性腸管障害に関する調査研究」，平成22年度総括分担研究報告書．p.128-132, 2011
16) Scarpa M et al：Health-related quality of life after ileocolic resection for Crohn's disease：long-term results. Inflamm Bowel Dis 13：462-469, 2007
17) Shinagawa T et al：Reoperation rate decreased significantly after year 2002 in patients with Crohn's disease. Clin Gastroenterol Hepatol 18：898-907, 2020
18) Reese GE et al：The effect of smoking after surgery for Crohn's disease：a meta-analysis of observational studies. Int J Colorectal Dis 23：1213-1221, 2008
19) De Cruz P et al：Efficacy of thiopurines and adalimumab in preventing Crohn's disease recurrence in high-risk patients - a POCER study analysis. Aliment Pharmacol Ther 42：867-879, 2015
20) Gionchetti P et al：3rd European evidence-based consensus on the diagnosis and management of Crohn's disease 2016：Part 2：Surgical management and special situations. J Crohns Colitis 11：135-148, 2017
21) Lochs H et al：Prophylaxis of postoperative relapse in Crohn's disease with mesalamine：European Cooperative Crohn's Disease Study VI. Gastroenterology 118：264-273, 2000
22) Peyrin-Biroulet L et al：Azathioprine and 6-mercaptopurine for the prevention of postoperative recurrence in Crohn's disease：a meta-analysis. Am J Gastroenterol 104：2097-2099, 2009
23) Savarino E et al：Adalimumab is more effective than azathioprine and mesalamine at preventing postoperative recurrence of Crohn's disease：a randomized controlled trial. Am J Gastroenterol 108：1731-1742, 2013
24) Carla-Moreau A et al：Prevention and treatment of postoperative Crohn's disease recurrence with anti-TNF therapy：a meta-analysis of controlled trials. Digestive and Liver Dis 47：191-196, 2015
25) Eros A et al: Anti-TNF α agents are the best choice in preventing postoperative Crohn's disease：a meta-analysis. Dig Liver Dis 5：1086-1095, 2019
26) Watanabe K et al：Long-term incidence and characteristics of intestinal failure in Crohn's disease：a multicenter study. J Gastroenterol 49：231-238, 2014
27) 二見喜太郎 他：クローン病肛門部病変のすべて―診断から治療まで（第二版）．厚生労働科学研究費補助金 難治性疾患等政策研究事業「難治性炎症性腸管障害に関する調査研究」（鈴木班），平成30年度研究報告書 別冊．2019
28) Taxonera C et al：Emerging treatments for complex perianal fistula in Crohn's disease. World J Gastroenterol 15：4263-4272, 2009
29) 二見喜太郎 他：Crohn病における肛門病変に対する外科的治療の最前線．日本大腸肛門病会誌 70：623-638, 2017
30) 二見喜太郎 他：クローン病の肛門病変に対する手術療法．手術 71：161-169, 2017
31) Irvine EJ：Usual Therapy Improves Perianal Crohn's Disease as Measured by a New Disease Activity Index. McMaster IBD Study Group. J Clin Gastroenterol 20：27-32, 1995
32) 鈴木康夫 他：潰瘍性大腸炎・クローン病 診断基準・治療指針．厚生労働科学研究費補助金 難治性疾患等政策研究事業「難治性炎症性腸管障害に関する調査研究」（鈴木班）．平成30年度研究報告書 別

冊．2019
33) 二見喜太郎 他：クローン病肛門病変の治療．日本臨牀 76：452-457，2018
34) D'Haens GR et al：The London Position Statement of the World Congress of Gastroenterology on Biological Therapy for IBD With the European Crohn's and Colitis Organization：when to start, when to stop, which drug to choose, and how to predict response? Am J Gastroenterol 106：199-212, 2011
35) Uchino M et al：Long-term efficacy of infliximab maintenance therapy for perianal Crohn's disease. World J Gastroenterol 17：1174-1179, 2011
36) Manne A et al：Predictors of Outcome of Rectovaginal Fistula Surgery in Women With Crohn's Disease. J Clin Med Res 8：126-129, 2016
37) Gecse KB et al：Results of the Fifth Scientific Workshop of the ECCO〔Ⅱ〕：Clinical Aspects of Perianal Fistulising Crohn's Disease - the Unmet Needs. J Crohns Colitis 10：758-765, 2016
38) Panés J et al：Expanded allogeneic adipose-derived mesenchymal stem cells（Cx601）for complex perianal fistulas in Crohn's disease：a phase 3 randomised, double-blind controlled trial. Lancet 388：1281-1290, 2016

# 第6章 長期予後

## 1 クローン病の自然史

- クローン病は再燃，寛解を繰り返しながら長期間にわたり進行性に経過する疾患である（図1)[1,2]．
- 病初期では消化管の炎症（inflammation）が主体であるが，再燃を繰り返す経過中に狭窄や瘻孔，膿瘍といった腸管合併症（complication）をきたし，手術適応となる場合が多い（図2)[3]．

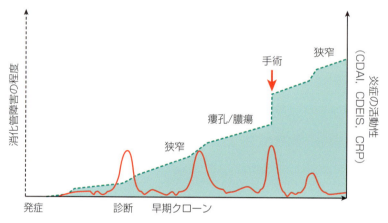

**図1　クローン病の自然史**

CDAI：Crohn's disease activity index，CDEIS：Crohn's disease endoscopic index of severity，CRP：C-reactive protein.

（文献2）より引用改変）

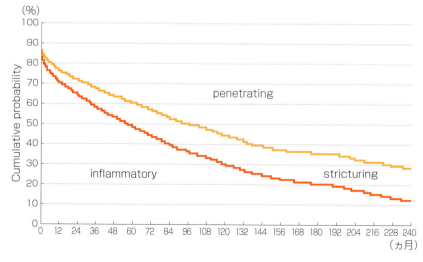

**図2　クローン病の臨床経過と病態**
（文献3）より）

- 腸管切除後，吻合部には高率に病変再発を認め，再狭窄などの理由から腸管切除を繰り返し短腸症候群に至ることもある．このように罹病期間が長期になるに従い，腸管の機能障害（disability）が疾患の主体となってくる[4]．
- 疾患の原因は解明されていないため，完全に治癒することはなく，治療目標は再燃を防ぎ寛解を維持し，手術回避により腸管機能障害を防ぐことにある．

**短腸症候群 short bowel syndrome（SBS）**
広範囲の小腸切除を行った場合，SBS による下痢が起こりやすい．術後の下痢は中心静脈栄養 total parenteral nutrition（TPN）や止痢薬が有効であることが多く，経過とともに改善する．しかし，その後も下痢の改善がみられず，脱水症状や電解質異常，栄養障害をきたす場合は在宅中心静脈栄養 home parenteral nutrition（HPN）が必要となることがある．

## 2 disease behavior

### ❶ クローン病における disease behavior

- クローン病診断時の罹患部位は経過中変化することは比較的少ない[5]が，disease behavior は変化することが知られている．
- 腸管合併症形成の危険因子[6]として，喫煙，若年発症，罹患範囲の広い小腸型・小腸大腸型，診断早期からのステロイド治療，肛門部病変などが知られている．
- 初診時に腸管合併症を認めていない炎症型が，狭窄型，瘻孔型へと移行する割合については，10 年後に 50%[7]，20 年後で 88%[8]と報告されている［いずれも Vienna Classification（表 1）[9]による］．しかし，これらの報告は大規模病院を受診した患者を対象としたコホート研究であるため，発症早期から重症であった症例が多く含まれた結果，population-based cohort よりも高率となっている可能性も考慮される．
- 近年の population-based cohort study では，診断時 18.6〜37.9% の患者において狭窄，瘻孔といった腸管合併症が既に認められており，炎症型から狭窄型，瘻孔型への移行は，10 年で 17〜29%，20 年で 40% と報告されている[10〜12]［いずれも Montreal Classification

表 1　Vienna classification for Crohn's disease

| | |
|---|---|
| age at diagnosis | A1：< 40 years<br>A2：≧ 40 years |
| location | L1：terminal ileum<br>L2：colon<br>L3：ileocolon<br>L4：upper GI |
| behavior | B1：nonstricturing, nonpenetrating<br>B2：stricturing<br>B3：penetrating |

（文献 9）より）

# 第6章 長期予後

表2 Montreal classification for Crohn's disease

| age at diagnosis (A) | |
|---|---|
| A1：16 years or younger<br>A2：17〜40 years<br>A3：over 40 years | |
| **location (L)** | **upper GI modifier (L4)** |
| L1：terminal ileum<br>L2：colon<br>L3：ileocolon<br>L4：upper GI | L1 + L4：terminal ileum + upper GI<br>L2 + L4：colon + upper GI<br>L3 + L4：ileocolon + upper GI<br>—　　　—|
| **behaviour (B)** | **perianal disease modifier (P)** |
| B1：nonstricturing,<br>　　 nonpenetrating<br>B2：stricturing<br>B3：penetrating | B1p：nonstricturing, nonpenetrating + perianal<br>B2p：stricturing + perianal<br>B3p：penetrating + perianal |

（文献13）より）

（表2）[13] による］.

## ❷ disease behavior と遺伝子マーカー

- 消化管合併症に対しては手術適応となる場合が多いため，disease behavior の進行を把握・予見することは臨床的に重要である．
- これまでの遺伝子研究から既に200程度の感受性領域が同定されている．クローン病の疾患感受性遺伝子として初めて報告されたNOD2遺伝子は，その変異が小腸病変，狭窄形成，手術率との相関性が報告されたが[14]，最近の検討では狭窄との関連性は乏しく，若年発症と小腸病変との関連[15,16]が示されている．
- 近年の大規模な検討では，疾患部位（小腸型クローン病，大腸型クローン病，潰瘍性大腸炎）と相関する代表的な遺伝子座としてNOD2，MHC，3p21/MST1が報告されたが，その他の臨床的表現型と関連する遺伝子は明らかとなっていない[15,16]．
- わが国のクローン病患者ではNOD2遺伝子の多型が認められなかったように，疾患感受性遺伝子には人種差もある[17]ため，今後も検討が必要と考えられる．

# 3 累積手術からみる長期予後

## ❶ クローン病における外科手術

- 累積手術率は発症後の経過年数とともに上昇することが示されている（図3）[18]．発症後10年の累積手術率は欧米で34〜71%[19]，わが国でも37〜60%と同様の比率が報告[18]され，大腸型では小腸型・小腸大腸型に比べ，手術率が有意に低いことが示されている[18]．
- 手術理由で最も多いのは腸管狭窄である（図4）[18]．このような実態から頻回の腸管切除に伴うSBSを回避するために，腸管機能の温存を目的として，外科治療では病変に応じて狭窄形成術も行われ，内科治療でも内視鏡的拡張術が実施されている．わが国の

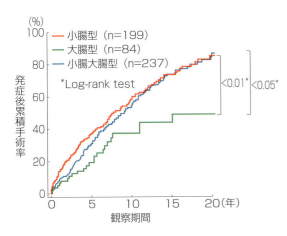

図3　クローン病の病変部位別発症後累積手術率
（文献18）より）

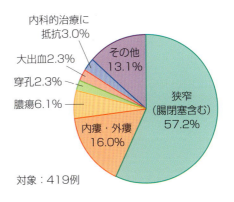

図4　クローン病の手術理由
（文献18）より）

報告でも，内視鏡的拡張術による手術回避率は3年で47〜77%とされ[20, 21]，欧米でも同様の有用性が報告され世界的に普及している．
- 内科治療による早期の臨床的寛解導入のみならず，内視鏡的な寛解導入と維持が達成できれば，腸管合併症の形成が抑制され，結果として腸管切除の回避も可能になることから，長期予後を改善するための治療目標として粘膜治癒が世界的に推奨されている．

## ❷ 年代による手術率の変化

- 栄養療法，薬物治療，内視鏡治療といった内科治療の進歩が手術率の低下につながっているのかどうかについて，これまでの報告では，累積手術率に変化がないとする報告と，近年減少してきているとするものがみられる．
- Cosnesらは自施設のクローン病患者を診断された時期が1978〜1982年，1983〜1987年，1988〜1992年，1993〜1997年および1998〜2002年となる5群に分け，免疫調節薬（チオプリン製剤）の使用頻度と手術率の変化を検討している[8]．その結果，免疫調節薬の使用頻度は近年になるに従って増加するも，手術率には有意な変化がなかったとしている．また，Woltersらはシステマティックレビューにより，年代による変化は認められなかったとしている[19]．
- 一方，Ramadasらは診断時期により，1986〜1991年，1992〜1997年，1998〜2003年の3群に分けたところ，診断後5年の手術率はそれぞれ59%，37%，25%と有意差をもって低下していたと報告している[22]．これらの群で診断後5年での免疫調節薬の使用はそれぞれ11%，28%，45%，その開始時期は77ヵ月，21ヵ月，11ヵ月で，早期のチオプリン製剤（AZA/6-MP）の使用が診断された年代とともに手術率に関与している可能性があるとしている．
- Parkらも2,043人の対象患者を診断時期により1981〜2000年，2001〜2005年，2006〜2012年の3群に分け，手術率などを比較検討し，前期群に比べ後期群で有意な手術率

# 第6章 長期予後

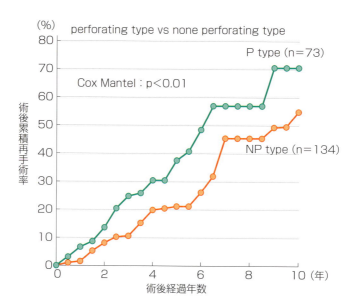

図5　クローン病の術後累積再手術率
（文献25）より）

の減少を認め，多変量解析で発症早期のチオプリン製剤の使用が手術回避に関連する（HR 0.63, 95%CI 0.46〜0.85）ことを報告している[23]．

- 免疫調節薬と抗TNF-α抗体製剤の適応が世界的に普及し，治療成績の改善が期待されているが，これら薬剤が手術率に代表される長期予後を改善しているかについては継続的な検討が必要である．

## ❸ 術後の再発予防

- 前述のようにクローン病では，診断後10年で35〜65%の患者が手術を受ける[18, 19, 24]．また，高率に術後再発するため再手術率も高く，5年で28%と報告されている（図5）[25]．このような現状から，長期予後を改善するためには，再手術率の抑制は重要な課題となる．
- 術後再発の実態について，症状的な再発は3年で約30%程度にとどまるも，吻合部の内視鏡的な病変再発は1年で約70%程度に達することがRutgeertsらにより報告（図6）[26]され，再手術の回避を目標とした積極的な治療強化による病変再発の抑制が注目されている．
- 術後の再発予防効果のある治療法として，これまで経腸栄養療法，メトロニダゾール，チオプリン製剤，抗TNF-α抗体製剤，経腸栄養療法が報告されている[27〜32]．
- Yamamotoらは，術後例を自由摂取群と成分栄養剤1,200〜1,800 kcalの夜間経鼻注群（日中は低脂肪食）に割りつけ再発率を比較している．1年後の臨床的再発率（自由摂取群35%，成分栄養群5%），内視鏡的再発率（それぞれ70%，30%）と成分栄養群で有意な再発率の低下を報告している[27]．

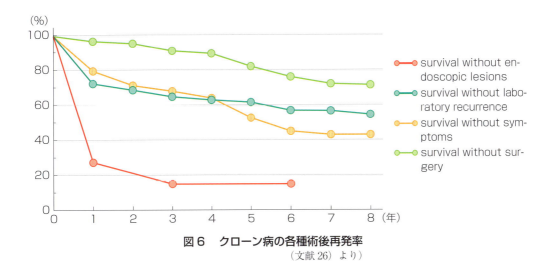

図6　クローン病の各種術後再発率
（文献 26）より）

- Rutgeerts らは，回腸切除を施行された患者を対象にメトロニダゾールとプラセボで吻合部の病変再発の抑制効果を検討し，12 週後の病変再発はプラセボ群が 75％，メトロニダゾール群 53％ と，メトロニダゾールで有意な病変再発抑制効果を認め，さらに 1 年後，2 年後の臨床的再発も有意に抑制したと報告している[28]．
- Hanauer らは術後のクローン病患者を 6-MP（50 mg），mesalamine（3 g），プラセボ群に分けたところ，2 年後の臨床的再燃率はそれぞれ 50％，58％，77％，内視鏡的再燃率はそれぞれ 43％，63％，64％ であり，6-MP がプラセボ群に対し有意に術後の臨床的，内視鏡的再燃を抑制したと報告している[29]．
- 6-MP/AZA の手術の 1 年後，2 年後の再燃抑制効果は，メタ解析でも示されている[30]．
- 吻合部に病変再発を認めた症例に対する抗 TNF-α 抗体製剤による治療介入は，その後の臨床的な再発の抑制，ならびに再発病変の治癒に AZA よりも有意な有効性を示すことが報告されている．また，腸管切除から 1 年後の臨床的，内視鏡的な再発が術後早期（2〜4 週内）からのインフリキシマブ投与により著明に抑制されることがプラセボ対照の RCT[31] と Randomised Open Trial[31] で報告されている．
- また，術後再発のリスク（高リスク：手術既往，瘻孔型，喫煙）と手術 6 ヵ月後の内視鏡所見（吻合部再発所見）に基づき，内科治療の強化の有無で手術 18 ヵ月後の内視鏡的再発率を比較検討した前向き試験（POCER study）[33] では，標準治療（強化無）群 67％，治療強化群 49％ と，チオプリン製剤やアダリムマブによる治療強化により有意に病変再発が抑制されることが報告された．このように，手術例に対する術後管理として，最近の Treat to Target 戦略に準じ，臨床症状よりも内視鏡をはじめとする画像やバイオマーカー検査による評価を基準とした治療強化を推奨する報告[33,34]が増加してきている．
- わが国では Shinagawa らが国内多施設の大規模コホートを対象として再手術率を検討し，2002 年 5 月以降では 2002 年 4 月以前に比べ，有意な低下を認め（図 7），免疫調節薬および抗 TNF-α 抗体製剤の術後使用，特に後者では術前未使用例に対する適応が再手術率の低下因子であることを報告した[35]．

# 第6章　長期予後

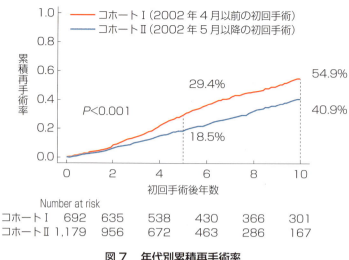

**図7　年代別累積再手術率**
（文献35）より）

● Shinagawaら[35)]が，術後の抗TNF-α抗体製剤による積極的な介入が術後の再発，および長期予後の改善を示した意義は大きいが，一方で，既に術前から同治療を継続する患者に対する再手術抑制効果は認められなかった事実も報告している．わが国では難病医療費助成制度の関係で抗体製剤の早期使用が欧米に比べ高率のため，初回手術時ならびに再手術時に既使用例が非常に増加しており，このような患者に対する有効な再発予防治療法の確立が重要である．

（中村志郎）

## 文献

1) 日比紀文 他：4. 炎症性腸疾患の病態解明と治療の進歩．日内会誌 102：2195-2213, 2013
2) Pariente B et al：Development of the Crohn's disease digestive damage score, the Lémann score. Inflamm Bowel Dis 17：1415-1422, 2011
3) Cosnes J et al：Long-Term Evolution of Disease Behavior of Crohn's disease. Inflamm Bowel Dis 8：244-250, 2002
4) Choy EH et al：Cytokine pathways and joint inflammation in rheumatoid arthritis. N Engl J Med 344：907-916, 2001
5) Vernier-Massouille G et al：Natural history of pediatric Crohn's disease：a population-based cohort study. Gastroenterology 135：1106-1113, 2008
6) Dignass A et al：The second European evidence-based Consensus on the diagnosis and management of Crohn's disease：Current management. J Crohns Colitis 4：28-62, 2010
7) Louis E et al：Behaviour of Crohn's disease according to the Vienna classification：changing pattern over the course of the disease. Gut 49：777-782, 2001
8) Cosnes J et al：Impact of the increasing use of immunosuppressants in Crohn's disease on the need for intestinal surgery. Gut 54：237-241, 2005
9) Gasche C et al：A simple classification of Crohn's disease：report of the Working Party for the World Congresses of Gastroenterology, Vienna 1998. Inflamm Bowel Dis 6：8-15, 2000
10) Solberg IC et al：Clinical course in Crohn's disease：results of a Norwegian population-based ten-year

follow-up study. Clin Gastroenterol Hepatol 5：1430-1438, 2007
11) Tarrant KM et al：Perianal disease predicts changes in Crohn's disease phenotype - results of a population-based study of inflammatory bowel disease phenotype. Am J Gastroenterol 103：3082-3093, 2008
12) Thia KT et al：Risk factors associated with progression to intestinal complications of Crohn's disease in a population-based cohort. Gastroenterology 139：1147-1155, 2010
13) Silverberg MS et al：Toward an integrated clinical molecular and serological classification of inflammatory bowel disease：Report of a Working Party on the 2005 Montreal World Congress of Gastroenterology. Can J Gastroenterol 19 suppl A：5-36, 2005
14) 木内喜孝 他：クローン病の長期予後. 日消誌 108：381-387, 2011
15) Torres J et al：Genetics and phenotypes in inflammatory bowel disease. Lancet 387：98-100, 2016
16) McGovern DPB et al：Genetics of Inflammatory Bowel Diseases. Gastroenterology 149：1163-1176, 2015
17) Liu JZ et al：Association analyses identify 38 susceptibility loci for inflammatory bowel disease and highlight shared genetic risk across populations. Nat Genet 47：979-986, 2015
18) Sato Y et al：Long-term course of Crohn's disease in Japan：Incidence of complications, cumulative rate of initial surgery, and risk factors at diagnosis for initial surgery. J Gastroenterol Hepatol 30：1713-1719, 2015
19) Wolters FL et al：Systematic review：has disease outcome in Crohn's disease changed during the last four decades? Aliment Pharmacol Ther 20：483-496, 2004
20) Matsui T et al：Long-term outcome of endoscopic balloon dilation in obstructive gastrointestinal Crohn's disease：a prospective long-term study. Diagn Ther Endosc 6：67-75, 2000
21) Hirai F et al：Efficacy of Endoscopic Balloon Dilation for Small Bowel Strictures in Patients With Crohn's Disease：A Nationwide, Multi-centre, Open-label, Prospective Cohort Study. J Crohns Colitis 28：394-401, 2018
22) Ramadas AV et al：Natural history of Crohn's disease in a population-based cohort from Cardiff（1986-2003）：a study of changes in medical treatment and surgical resection rates. Gut 59：1200-1206, 2010
23) Park SH et al：Long-term Prognosis of Crohn's disease and Its Temporal Change Between 1981 and 2012：A Hospital-based Cohort Study from Korea. Inflamm Bowel Dis 20：488-494, 2014
24) 樋渡信夫：長期予後. 日比紀文（編）：炎症性腸疾患. 医学書院, 26-32, 2010
25) 福島恒男 他. 厚生省特定疾患難治性炎症性腸管障害調査研究班（武藤班）平成7年度研究報告書. 58-60, 1996
26) Rutgeerts P et al：Predictability of the postoperative course of Crohn's disease. Gastroenterology 99：956-963, 1990
27) Yamamoto T et al：Impact of long-term enteral nutrition on clinical and endoscopic recurrence after resection for Crohn's disease：a prospective, non-randomized, parallel, controlled study. Aliment Pharmacol Ther 25：67-72, 2007
28) Rutgeerts P et al：Controlled trial of metronidazole treatment for prevention of Crohn's recurrence after ileal resection. Gastroenterology 108：1617-1621, 1995
29) Hanauer SB et al：Postoperative maintenance of Crohn's disease remission with 6-mercaptopurine, mesalamine, or placebo：a 2-year trial. Gastroenterology 127：723-729, 2004
30) Peyrin-Biroulet L et al：Azathioprine and 6-mercaptopurine for the prevention of postoperative recurrence in Crohn's disease：a meta-analysis. Am J Gastroenterol 104：2089-2096, 2009
31) Regueiro M et al：Infliximab prevents Crohn's disease recurrence after ileal resection. Gastroenterology 136：441-450, 2009
32) Yoshida K et al：Scheduled infliximab monotherapy to prevent recurrence of Crohn's disease following ileocolic or ileal resection：a 3-year prospective randomized open trial. Inflamm Bowel Dis 18：1617-1623, 2012
33) De Cruz P et al：Crohn's disease management after intestinal resection：a randomised trial. Lancet 3855：1406-1417, 2015
34) Colombel JF et al：Effect of tight control management on Crohn's disease（CALM）：a multicentre, randomised, controlled phase 3 trial. Lancet 390：2779-2789, 2018.
35) Shinagawa T et al：Rate of Reoperation Decreased Significantly After Year 2002 in Patients With Crohn's Disease. Clin Gastroenterol Hepatol 18：898-907, 2020

# 第7章 癌化

## はじめに

- クローン病に合併する悪性腫瘍として，消化管では食道癌，胃癌，小腸癌，大腸癌が，腸管外では悪性リンパ腫，白血病，扁平上皮癌（皮膚癌），胆管癌，肝臓癌などがあげられている．消化管悪性腫瘍のうち，小腸癌，大腸癌が有意に多い[1,2]．

## 1 クローン病に合併する悪性腫瘍

### ❶ 消化管悪性腫瘍

- クローン病を対象としたメタアナリシス（n＝60,122）では食道癌，咽頭癌，胃癌発生の相対危険度はそれぞれ，1.45（p＝0.81），0.59（p＝0.42），1.77（p＝0.08）で，有意な発生の増加はないと報告されている[2]．
- 欧米の報告では小腸癌合併例は少ないものの，癌合併の相対危険度は著しく高値であり（表1），大腸癌合併の相対危険度は一般人口に比べて有意に高いと報告されている（表2）．結腸癌では危険度は増加しているが（RR 2.59），直腸癌では有意な増加はみられなかったと述べられている（RR 1.42）[2]．

### ❷ 消化管外悪性腫瘍

- 従来から炎症性腸疾患には悪性リンパ腫，白血病，扁平上皮癌（皮膚癌），胆管癌，肝臓癌の合併頻度が高いとされていた．わが国の多数例でのアンケート調査では腸管外悪性疾患の合併率は1.55％（163/10,534例）で，血液疾患が最も多く，固形癌としては乳癌，子宮癌，胃・十二指腸癌，腎癌，肺癌などであった[3]．
- 胆管癌は合併が多いとの報告があり[4]，肝臓癌については合併が多い[4]との報告と多くないとの報告がある[5]．
- 悪性リンパ腫は相対危険度が1.42（p＜0.01）と高い（n＝36,576）．免疫調節薬の使用が悪性リンパ腫の発生に関与しているとの報告があるが，本剤を使用していない症例の検討（n＝9,462）で一般人口と比較して2倍高い合併率であることから[2]，悪性リンパ腫はクローン病に高頻度に合併すると考えられている．発生部位は60％が小腸または大腸，それ以外は消化管外である．
- 白血病や多発性骨髄腫の合併が多いとの証明はない[2]．
- 免疫調節薬や抗TNF-α抗体製剤の発癌への関与が報告されている．悪性リンパ腫発生について免疫調節薬（アザチオプリン，6-MP）の長期投与の影響の可能性が指摘されており，免疫調節薬は悪性リンパ腫発生に関与しないとの報告や[4]，本剤使用で悪性リンパ腫発生率が4倍に増加するとの報告[6]，本剤を使用中の症例でリンパ球が5～6倍に増加するとの報告がある[7]．免疫調節薬の使用は治療の有用性が悪性リンパ腫合併に優ると述べられているものの[6]，本症の発生に留意する必要がある．抗TNF-α抗体製

表1 クローン病に合併した小腸癌

| Author | Setting | Subject | Case | Risk ratio | 95%CI |
|---|---|---|---|---|---|
| Ekbom（1991） | | 1,655 | 1 | 3.4[*1] | 0.1〜18.6 |
| Munkholm（1993） | | 373 | 2 | 50[*2] | 37.1〜65.9 |
| Persson（1994） | | 1,251 | 4 | 15.6[*3] | 4.7〜40.1 |
| Bernstein（2001） | | 2,857 | 5 | 17.4[*4] | 4.2〜72.9 |
| Canavan（2006） | Meta | | | 33.2 | 15.9〜60.9 |
| von Roon（2007） | Meta | 9,642 | | 23.4 | 14.56〜55.66 |

[*1]：standard incidence ratio, [*2]：relative risk, [*3]：standard morbidity ratio, [*4]：incidence ratio.

表2 クローン病に合併した大腸癌

| Author | setting | subjects | with colitis | CRC case | RR | 95%CI |
|---|---|---|---|---|---|---|
| Weedon（1973） | R | 449 | 356 | 8 | 26.7 | NA |
| Gyde（1980） | P | 513 | 381 | 9 | 4.3 | NA |
| Greenstein（1981） | R | 579 | 327 | 7 | NA | NA |
| Gollop（1988） | P | 103 | 61 | 1 | 2.0 | 0.1〜11.1 |
| Ekbom（1991） | P | 1,655 | 830 | 12 | 2.5 | 1.3〜4.3 |
| Munkholm（1993） | R | 373 | 208 | 2 | 1.1 | 0.04〜5.8 |
| Gillen（1994） | P | 281 | 214 | 8 | 3.4 | 1.5〜6.7 |
| Bernstein（2001） | P | 2,857 | NA | 29 | 2.6 | 1.7〜4.1 |
| Canavan（2006） | Meta | | | | 2.5 | 1.3〜4.7 |
| von Roon（2007） | Meta | 16,848 | | | 2.48 | 1.56〜4.36 |

P：population-based, R：referral center, CRC：colorectal cancer, NA：not available, RR：relative risk.

剤は現在，悪性リンパ腫の発生に関与しないと報告されている[8]．大変まれであるが免疫調節薬単独，または抗TNF-α抗体製剤との併用により予後不良のhepatosplenic T cell lymphoma発生の可能性が指摘されている[9]．

## 2 クローン病に合併する小腸癌

- 小腸癌合併例について，わが国多数例のアンケート調査で頻度は0.34％（41/12,151例）で，部位は空腸1例，回腸39例，空腸および回腸重複が1例と回腸に多くみられた[3]．ほかのわが国報告例（瘻孔癌を除く，n=26）[10]では癌診断時平均年齢は47歳，平均罹病期間は16年，回腸が96％（25/26）であった（表3）．
- 本症の小腸狭窄で可能な症例には狭窄形成術が行われており，狭窄形成術施行部位から発生した小腸癌3例が報告されていることから，まれな病変ではあるものの注意を要する[11〜13]．
- 本症に合併した小腸癌はクローン病病変と類似しており，癌の診断は困難である．わ

# 第7章 癌化

表3 クローン病合併小腸癌わが国報告例（医学中央雑誌，1983〜2014年，会議録除く）25例と自験例（横浜市立市民病院）のまとめ

(N=26)

| 項目（症例数） | | | | | |
|---|---|---|---|---|---|
| 男女比（23例） | 男性17例 | 女性6例 | | | |
| 小腸癌診断時平均年齢（23例） | 47.17歳 | （27〜66歳） | | | |
| 病型（22例） | 小腸型13例 | 小腸大腸型9例 | | | |
| 病悩期間（23例） | 16.13年 | （3〜30年） | | | |
| 部位（26例） | 回腸25例 | 空腸1例 | | | |
| 診断時期（26例） | 術前6例 | 術中4例 | 術後16例 | | |
| 手術理由[25例（重複あり）] | 狭窄15例 | 瘻孔7例 | 癌6例 | | |
| 肉眼型（11例） | 5型4例 | 3型2例 | 1型2例 | 2型1例 | 0型2例 |
| 病理組織型[26例（重複あり）] | 高分化腺癌14例 | 中分化腺癌6例 | 低分化腺癌1例 | 印環細胞癌4例 | 粘液癌3例 |
| 深達度[23例（重複あり）] | mp 6例 | ss 7例 | se 6例 | si 5例 | |
| Dysplasia（14例） | あり9例 | なし5例 | | | |
| p53（6例） | 陽性4例 | 陰性2例 | | | |
| 術後癌化学療法（16例） | あり12例 | なし4例 | | | |
| 予後 （死亡8例） | 術後生存期間平均13.5ヵ月（4〜21ヵ月） | | | | |
| 予後 （経過観察中11例） | 術後経過観察期間平均29.1ヵ月（11〜46ヵ月） | | | | |
| 死因（8例） | 転移1例 | 播種3例 | 再発3例 | 再発＋転移1例 | |

（文献10）より引用）

　が国でのアンケート調査の結果では小腸癌41例中，術前診断が17.1%（7例），術中診断が17.1%（7例），術後診断が61%（25例），非切除が4.9%（2例）であり，術前診断は困難で多くの症例が術後に診断されていた[3]．

> ①**術前診断**：小腸内視鏡検査で通常のクローン病と異なる所見の部位からの生検で，小腸癌合併診断が向上することが期待される．狭窄に対する手術症例では小腸癌合併も念頭に置くことが重要である．
> ②**術中診断**：腸管壁やリンパ節の著しい硬化，周囲に浸潤を思わせる高度の癒着など，通常のクローン病とは異なる所見がみられたときには小腸癌の可能性を考えて積極的に術中生検を行う．また，狭窄形成術を行う際には狭窄部に癌を疑わせる所見があれば術中生検を行う[14]．
> ③**術後診断**：腸切除術後の切除標本の病理組織学的検索によってクローン病に合併した小腸癌と診断された症例では，剥離面近くの癌の遺残，リンパ節転移などから追加切除，術後の抗癌剤治療などの方針を決定する．

● 手術は，術前・術中診断例では小腸癌に対する腸管切除とリンパ節郭清術を行う．周囲にdysplasiaを合併する症例が多いことから，癌病変近傍の肉眼的なクローン病病変は

切除することが望ましい．術後診断例では病理組織学的検査の結果で，症例によって追加切除を考慮する．

## 3 クローン病に合併する大腸癌

- 本症に合併する大腸癌は欧米では結腸癌が多く，わが国では痔瘻癌を含む直腸肛門管癌が多いことが特徴である．進行癌で発見されることが多く，長期経過例の増加に伴って徐々に増加していると考えられる．現状では直腸肛門部の狭窄症状の進行，下血，痔瘻からの粘液排出増加などの臨床症状の変化に留意し，これらの症状があるときには癌合併を念頭に置いて病変部の積極的な細胞診，組織診を行うことが早期発見に必要と考えられる．
- 危険因子について，欧米の報告では若年発症[2]，40歳未満[15]，長期罹病期間[15]，広範な結腸病変[2,16]，狭窄病変[15]，遠位大腸[2]などがあげられている．
- 大腸癌の部位は遠位大腸に多く[2,15]，狭窄，瘻孔，バイパスされた腸管にみられる[16]．多発癌の報告もある[17,18]．わが国では直腸，肛門管癌が多く，大腸癌の55%[19]，68%[20]を占める．
- 病理組織型は通常の大腸癌に比べて低分化腺癌，粘液癌，印環細胞癌の頻度が高い[15,17]．dysplasia の合併がみられる．
- 自験クローン病1,824例のうち腸管癌合併は56例（3.1%）で，大腸癌は51例（2.8%），内訳は痔瘻癌を含む直腸肛門管癌が44例（86%）と多くを占めた［直腸肛門管癌34例（77%），痔瘻癌10例（23%）］（**図1**）．
- クローン病に合併する痔瘻癌は，基本的に通常の痔瘻癌と同様の特徴をもつと考えられる．合併する肛門病変のうちわが国では痔瘻が最も多く，痔瘻を長期に合併する例が増加するにつれて今後，痔瘻癌が増加することが予想される．

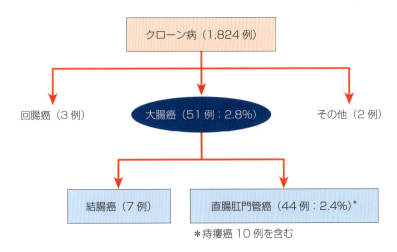

**図1 クローン病に合併した腸管癌**
（横浜市立市民病院 炎症性腸疾患科）

# 第7章 癌化

**表4　Crohn病に合併した直腸肛門管癌（痔瘻癌を含む）の診断指針と癌サーベイランスプログラム**

| 対象 | ●10年以上にわたり直腸，肛門管に狭窄，痔瘻などの病変を認めるCrohn病症例<br>●直腸空置例を含む |
|---|---|
| 方法 | ●症状記載（粘液，下血の有無，疼痛，狭窄症状の有無など）<br>●病変部検索<br>　1）視診，触診<br>　2）直腸，肛門管病変：<br>　　　外来診察，CF施行時に生検する*<br>　　　これらが困難な高度狭窄例などは腰椎麻酔下生検する*<br>　　　粘液があれば，必ず細胞診を併用する<br>　　　可能な限り，生検部位の写真を撮る<br>　3）痔瘻：<br>　　　外来診察時に生検する*（必要があれば局所麻酔下生検）<br>　　　これらが困難であれば腰椎麻酔下生検を行う*<br>　　　粘液があれば，必ず細胞診を併用する<br>　4）腫瘍マーカー（CEA，CA19-9）：生検，細胞診時に施行する<br>　5）骨盤MRI（原則として生検，細胞診時から前後1ヵ月以内）<br>　注*：生検の際には採取部位，生検個数を記載する<br>●悪性腫瘍の疑いがあれば，適宜，検査を再施行する |
| 期間 | 開始後1年間 |
| 結果解析 | 1．直腸肛門管癌（痔瘻癌を含む）の発見率を検討する<br>2．検査に伴う合併症を集計する |

（文献23）より引用）

- 痔瘻癌の診断は長期にわたって症状が持続する痔瘻があり，瘻管からの粘液の出現や増加，出血，直腸・肛門狭窄症状の出現や悪化，疼痛の出現，硬結や腫瘤の出現したときに本症を疑う．細胞診や麻酔下での組織診を積極的に行って早期に診断する．癌合併が疑われる例では繰り返し検査を行う．
- 骨盤CT検査，MRIは痔瘻進行癌の病変の範囲，周囲臓器への浸潤の診断に有用であるが，早期診断には有効ではない．FDG-PET検査は粘液癌の陽性率が41〜58％と低いことから[21]，粘液癌が多い痔瘻癌診断での有用性は低く，粘液癌を合併することが多い本症の癌サーベイランスに本検査は適さない[22]．
- わが国のクローン病合併大腸癌は痔瘻癌を含む直腸肛門管癌が大多数を占め，早期診断が困難なことから予後が不良である．癌の早期発見による生存率の改善を目的として厚生労働省「難治性炎症性腸管障害に関する調査研究班」では多施設共同研究として「Crohn病に合併した直腸肛門管癌（痔瘻癌を含む）の診断指針と癌サーベイランスプログラム」を作成した（表4）[23]．本サーベイランスプログラムでは対象とした10年以上経過した直腸肛門病変（痔瘻を含む）をもつクローン病554例のうち，27例（4.9％）と高頻度に直腸肛門管の悪性腫瘍が診断された（直腸肛門管癌22例，痔瘻癌3例，直腸Group 4 1例，dysplasia 1例）[24]．以上から本サーベイランスはクローン病に合併した直腸肛門管癌の診断に有用と考えられた．
- 現状では長期に経過した直腸肛門病変をもつクローン病症例に対して臨床症状の変化に留意し，癌合併を念頭に置いて積極的な細胞診，組織診を行って早期発見に努めるとともに，わが国で作成した「Crohn病に合併した直腸肛門管癌の癌サーベイランスプ

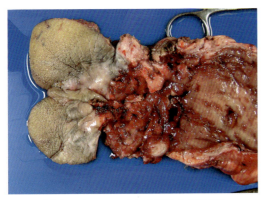

図2　クローン病に合併した直腸癌

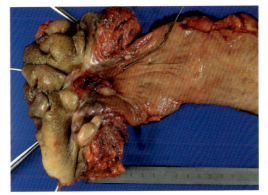

図3　クローン病に合併した痔瘻癌

ログラム」に基づいて診断を行い，その有用性をさらに多数例で検証していくことが重要である．

> **症例1**
>
> ●直腸癌（図2）
> 　症例は発症後20年を経過した46歳の小腸大腸型クローン病で直腸狭窄，坐骨直腸窩膿瘍で手術適応と判定，術中生検で直腸癌と診断され直腸切断術を行った．切除標本では下部直腸，肛門管に全周性の径6.5 cm，5型腫瘍があり，粘液産生を伴う高分化腺癌，深達度T2（MP），リンパ節転移はなく（pStage I），背景には縦走潰瘍と肉芽腫があり，クローン病に合併した直腸癌と診断した．

> **症例2**
>
> ●痔瘻癌（図3）
> 　症例は発症後24年経過した大腸型クローン病で19年間の痔瘻罹患歴があり，痔瘻からの排膿とともに粘液の排出，腟からの排液が認められた．細胞診ではclass Vで，クローン病に合併した痔瘻癌の診断で直腸切断術，腟合併切除術を行った．切除標本では肛門部に粘液貯留を伴う5型腫瘍があり，粘液癌で痔瘻の瘻管内に癌細胞が認められ，腟粘膜への浸潤が認められた（pStage II）．

## まとめ

- クローン病に合併する頻度の高い悪性腫瘍として消化管では小腸癌，大腸癌，消化管外では悪性リンパ腫があげられる．
- 小腸癌，大腸癌は一般人口に比べて多い．小腸癌の合併はまれであるが，相対危険度は非常に高いことが知られ，大腸癌は欧米では結腸癌が多いが，わが国では痔瘻癌を含む直腸肛門管癌が多いことが特徴である．
- 小腸癌，大腸癌ともに現状では進行癌で発見されることが多いために予後は不良である．

# 第7章 癌化

● 頻度の高い大腸癌について現状では狭窄症状の進行，下血などの臨床症状の変化に留意し，癌合併を念頭に置いて積極的な細胞診，組織診が必要と考えられる．厚生労働省「難治性炎症性腸管障害に関する調査研究班」で作成した「Crohn病に合併した直腸肛門管癌の癌サーベイランスプログラム」について有用性が報告され，さらに多数例で検証が行われている．

（杉田　昭・小金井一隆）

## 文献

1) Ullman TA et al：Cancer risk in inflammatory bowel disease. Satsangi J et al（eds）：Inflammatory Bowel Disease. Churchill Livingstone, p.605-619, 2003
2) von Roon AC et al：The risk of cancer in patients with Crohn's disease. Dis Colon Rectum 50：839-855, 2007
3) 二見喜太郎 他：クローン病に関連する癌サーベイランス法の確立に向けて—小腸癌・腸管外悪性疾患のアンケート調査—．厚生労働科学研究費補助金 難治性疾患克服対策研究事業「難治性炎症性腸管障害に関する調査研究」班．平成30年度業績集．p.134-136, 2019
4) Bernstein CN et al：Cancer risk in patients with inflammatory bowel disease：a population-based study. Cancer 91：854-862, 2001
5) Ekbom A：Extracolonic malignancies in inflammatory bowel disease. Cancer 67：2015-2019, 1991
6) Kandiel A et al：Increased risk of lymphoma among inflammatory bowel disease patients treated with azathioprine and 6-mercaptopurine. Gut 54：1121-1125, 2005
7) Beaugerie L et al：Cancers complicating inflammatory bowel disease. N Engl J Med 372：1441-1452, 2015
8) Nyboe Anderson N et al：Association between tumor necrosis factor-α antagonists and risk of cancer in patients with inflammatory bowel disease. JAMA 311：2406-2413, 2014
9) Kotlyar DS et al：A systemic review of factors that contribute to hepatosplenic T-cell lymphoma in patients with inflammatory bowel disease. Clin Gastroenterol Hepatol 9：36el-41el, 2011
10) 小原　尚 他：2カ所の小腸癌を合併したクローン病の1例．日消誌 113：1901-1908，2016
11) Marchetti F et al：Adenocarcinoma arising from a strictureplasty site in Crohn's disease：report of a case. Dis Colon Rectum 39：1315-1321, 1996
12) Jaskowiak NT et al：Adenocarcinoma at a strictureplasty site in Crohn's disease：Report of a case. Dis Colon Rectum 44：284-287, 2001
13) Menon AM et al：Adenocarcinoma of the small bowel arising from a previous strictureplasty for Crohn's disease：report of a case. Dis Colon Rectum 50：257-259, 2007
14) Strong SA et al：Practice parameters for the surgical management of Crohn's disease. Dis Colon Rectum 50：1735-1746, 2007
15) Stahl TJ et al：Crohn's disease and carcinoma：increasing justification for surveillance? Dis Colon Rectum 35：850-856, 1992
16) Yamazaki Y et al：Malignant colorectal strictures in Crohn's disease. Am J Gastroenterol 86：882-885, 1991
17) Choi PM et al：Similarity of colorectal cancer in Crohn's disease and ulcerative colitis：implications for carcinogenesis and prevention. Gut 35：950-954, 1994
18) Nikias G et al：Crohn's disease and colorectal carcinoma：rectal cancer complicating longstanding active perianal disease. Am J Gastroenterol 90：216-219, 1995
19) 篠崎　大：クローン病と下部消化管癌—本邦の現況．日本大腸肛門病会誌 61：353-363，2008
20) 杉田　昭：潰瘍性大腸炎，Crohn病に合併した小腸，大腸癌の特徴と予後—第3報—．厚生労働科学研究費補助金 難治性疾患克服対策研究事業「難治性炎症性腸管障害に関する調査研究」班．平成19

年度業績集．p.87-89，2008
21) 西村恒彦 他：腫瘍臨牀におけるFDGの役割．6 大腸癌．西村恒彦 他（編）：クリニカルPET 一望千里．メジカルビュー社．p.106-109，2004
22) 池内浩基 他：クローン病に対するPET検査の有用性の検討．日本大腸肛門病会誌 61：303-310，2008
23) 杉田　昭：潰瘍性大腸炎，Crohn病に合併した小腸，大腸癌の特徴と予後—第6報—．厚生労働科学研究費補助金 難治性疾患克服対策研究事業「難治性炎症性腸管障害に関する調査研究」班．平成22年度業績集．p.95-96，2011
24) 杉田　昭：潰瘍性大腸炎，Crohn病に合併した小腸，大腸癌の特徴と予後—第14報—．厚生労働科学研究費補助金 難治性疾患克服対策研究事業「難治性炎症性腸管障害に関する調査研究」班．平成30年度業績集．p.128-133，2019

# 第8章 小児

## はじめに

- 世界的にクローン病患者の患者数が増多しているが，小児期に発症する患者も例外ではない．特に，6歳未満に発症し炎症性腸疾患（IBD）と診断される患者の増加率は高い[1]．
- わが国を含む東アジアのクローン病小児患者では，診断時から小腸大腸型で上部消化管病変を伴う患者が，わが国の成人患者やヨーロッパの患者よりも多く，4割近くに肛門病変を伴うことが明らかとなった[2]．

## 1 小児IBDの診断

- 小児クローン病の病型分類：小児のクローン病の病型分類には，Montreal分類を改訂したParis分類[3]にて評価されるのが一般的で，診断年齢，上部消化管〜小腸病変，成長障害について追記されている（表1）．
- 小児クローン病の活動性の評価指標としてPCDAI（pediatric Crohn's disease activity index）が広く使われてきたが，最近では身長と腹部診察所見，ヘマトクリットの項目を外し簡略化したweighted PCDAI[4]が用いられることが多い（表2）．
- わが国には，小児特有のクローン病診断基準はないが，欧米では，Revised Porto Criteria[5]が用いられる．感染症やアレルギー，原発性免疫不全症などを除外した後は，内視鏡所見，病理所見よりクローン病に矛盾しない所見を確認しながらクローン病の診断に至るが，非典型例も少なからず含まれると考えられる．
- 一方で，上部内視鏡検査と回腸終末部の観察を含む大腸内視鏡検査と，消化管の各部位からの複数の粘膜生検を実施，さらには小腸カプセル内視鏡やMR enterography（MRE）による小腸病変の評価を行うことも強く推奨されており，体型の小さな小児でも，積極的な全消化管評価が求められる．
- very early onset（VEO）-IBD症例，非典型的な内視鏡所見や経過を示す症例，標準的治療に抵抗性を示す症例，感染症を反復する症例，家族内発症例などでは，monogenic IBDの可能性があり，原発性免疫不全症候群の遺伝子解析を考慮する[6]．
- わが国で作成された，原発性免疫不全症を含む遺伝性のIBDを疑った患者の診断アルゴリズム[7]を図1に示す．
- 原発性免疫不全症を含む単一遺伝子異常に伴うと思われる遺伝性のIBDを疑った患者においては，必要に応じて免疫グロブリンやフローサイトメトリ，好中球機能やインターロイキン（IL）-10シグナリング機能のスクリーニングを行う．また，遺伝性IBDを強く疑う症例では保険収載の17の免疫異常関連遺伝子を対象としたIBDパネルによる遺伝スクリーニングを実施する．
- IBDパネルで診断がつかない患者に対しては，患者の同意があれば，難病プラットフ

表1　小児クローン病の Paris 分類

| | | |
|---|---|---|
| 診断年齢<br>（Age at Diagnosis） | A1a：<br>A1b：<br>A2：<br>A3： | 0～10歳未満<br>10～17歳未満<br>17～40歳未満<br>40歳以上 |
| 病変の局在<br>（Location） | L1：<br>L2：<br>L3：<br>L4a：<br>L4b： | 回腸の遠位1/3±盲腸限局病変<br>大腸病変<br>回腸・大腸病変<br>トライツ靱帯より近位の上部病変<br>トライツ靱帯より遠位で，回腸の遠位1/3より近位の上部病変 |
| 病型（Behavior） | B1：<br>B2：<br>B3：<br>B2B3：<br>P： | 非狭窄性・非穿通性<br>狭窄性<br>穿通性<br>穿通性・狭窄性（同時または異時性に存在）<br>肛門周囲病変 |
| 成長（Growth） | G0：<br>G1： | 診断時・経過中の成長障害なし<br>成長障害あり |

（文献3）より）

表2　weighted PCDAI

| | | | |
|---|---|---|---|
| 腹　痛 | なし（0） | 軽度：短時間の腹痛で，活動を制限しない（10） | 中等度/重度：連日で長く続いたり，活動の制限につながったり，就眠後に起きたりする（20） |
| 患者機能/全身状態 | 調子よく，行動制限なし（0） | 年齢相応の行動が通常より制限されることがある（10） | 状態不良でしばしば行動制限あり（20） |
| 便（1日あたり） | 0～1回の水様便，血が混じらない（0） | 少量の血が混じる，2回までの軟便，もしくは2～5回の水様便（7.5） | 明らかな出血．もしくは6回以上の水様便．もしくは就眠後の下痢（15） |
| 赤血球沈降速度（mm/時） | ＜20（0） | 20～50（7.5） | ＞50（15） |
| アルブミン（g/dL） | ≧3.5（0） | 3.1～3.4（10） | ≦3.0（20） |
| 体　重 | 体重増加もしくは意図しての体重の不変/減少（0） | 意図していない体重の不変，1～9％の体重減少（5） | 10％以上の体重減少（10） |
| 肛門周囲病変 | なし/無症候性皮垂のみ（0） | 排膿が乏しく，圧痛のない1～2個の無痛性瘻孔がある（7.5） | 排膿，圧痛もしくは膿瘍を伴う活動性瘻孔がある（15） |
| 腸管外合併症<br>（この1週間で38.5℃以上の発熱が3日以上，関節炎，虹彩炎，結節性紅斑，壊疽性膿皮症） | なし（0） | | 腸管外合併症が1つ以上（10） |

（文献4）より）

# 第8章 小児

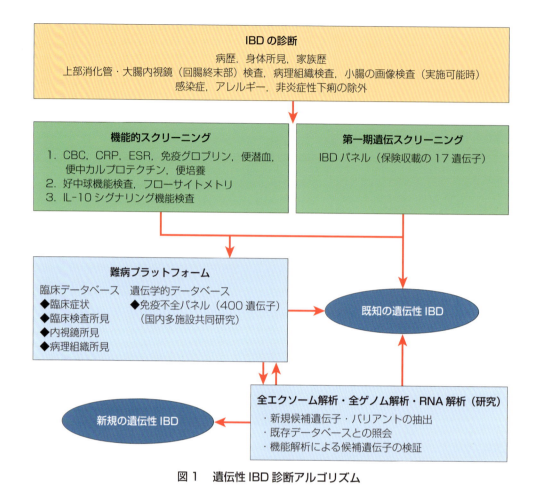

図1 遺伝性IBD診断アルゴリズム

ォームへの情報入力後に，約400の免疫異常関連遺伝子のスクリーニングも可能となる．
- それでも診断がつかないが遺伝性IBDを疑う症例については，全エクソーム解析，全ゲノム解析，RNA解析などを研究ベースで行うことで，既に検査が行われた遺伝子以外の解析による既知疾患の診断や，新規候補遺伝子，バリアントの抽出が可能となり，必要に応じて，機能解析まですすめることになる．

## 2 小児IBDの治療

- 日本小児IBD研究会の小児IBD治療指針2019改訂ワーキンググループにより，これまでの治療指針が改訂され，小児クローン病治療指針（2019年）が作成された[8]．
- 小児クローン病患者の診療においては，栄養療法，薬物治療，外科治療に加え，心理面の支援を要する患者も少なくない．治療指針の原則の抜粋を以下に示す．

> 1) 治療方針は，小児用の活動性指標〔(weighted-) pediatric Crohn's disease activity index : (w-) PCDAI〕に基づいて，治療指針とフローチャートを参考に決定する（**図2，3**）．
> 2) 小児クローン病の治療目標は，腸管炎症に伴う消化器症状を改善し，腸管内外の合併症や外科手術を回避するとともに，二次性徴を含めた正常な身体的発育と精神面での発達を達成することである．腸管粘膜の炎症所見が改善して潰瘍を認めない状態（粘膜治癒）は，長期予後の改善や外科手術の必要性の低下に寄与する可能性があり，粘膜治癒を目指した治療も考慮されるべきである．
> 3) 小児クローン病の治療に際しては安全性に特別な注意が必要である．特に生物学的製剤の適応は慎重に判断すべきであり，経験豊富な医師へのコンサルトが勧められる．
> 4) 薬用量は原則として体重換算で決めるが，重症度に合わせて個々の薬剤の増量や減量を考慮する．
> 5) 寛解導入および維持に使用する薬物の一部は，小児に対する適用が承認されていない．したがってその使用にあたっては，本人・家族に効果と副作用について詳しく説明して，十分な同意を得ることが望ましい．
> 6) 内科治療に抵抗する腸炎症状や合併症のある患者では外科治療の適応とタイミングを十分に検討し，時期を逸することがないように留意する．
> 7) 治療効果の判定には，症状や血液検査所見の改善にとどまらず，炎症腸管の画像診断による評価が不可欠で，小児クローン病診療に精通した医師による内視鏡検査を含む診療が行われることが望ましい．

●以下に，小児クローン病の各治療薬の要点を示す．

## ❶ 栄養療法

●小児クローン病の寛解導入療法の第一選択は完全経腸栄養療法で，寛解維持療法においても，部分経腸栄養療法を続けることが望ましい．成分栄養剤による完全経腸栄養が2週間以上続く場合［絶食・中心静脈栄養（TPN）の場合も含む］では必須脂肪酸，ビタミン類，微量元素欠乏に注意し，必要量の補充と定期的な血液検査によるモニタリングを施行する必要がある．

## ❷ 5-アミノサリチル酸（5-ASA）製剤

●軽症例の寛解導入，寛解維持薬として選択される．主として時間依存性メサラジンが用いられるが，大腸が主病変の患者においてはサラゾスルファピリジンも選択肢となる．European Society for Paediatric Gastroenterology Hepatology and Nutrition（ESPGHAN）の小児クローン病ガイドライン[9]によれば，クローン病における5-ASA製剤の効果は限定的であり，クローン病に対する5-ASA製剤投与の有効性を示す根拠はないとされている．

# 第8章 小児

| 活動期の治療 ||||
|---|---|---|---|
| 軽症〜中等症 | 中等症〜重症 || 重症（病勢が重篤，高度な合併症を有する場合） |
| 完全経腸栄養 ||| 完全経腸栄養/経静脈栄養 |
| 薬物療法<br>・5-ASA 製剤<br>・ブデソニド | 薬物療法<br>・経口ステロイド薬<br>・抗菌薬（メトロニダゾール）<br>・生物学的製剤（インフリキシマブ，アダリムマブ，ウステキヌマブ）<br>・顆粒球吸着療法 || 薬物療法<br>・経口・経静脈ステロイド薬<br>・生物学的製剤（インフリキシマブ，アダリムマブ，ウステキヌマブ） |
| 寛解維持療法 | 肛門病変の治療 | 狭窄・瘻孔の治療 | 術後の再発予防 |
| 部分経腸栄養<br>薬物療法<br>・5-ASA 製剤<br>・免疫調節薬（アザチオプリン，6-MP）<br>・生物学的製剤（インフリキシマブ，アダリムマブ，ウステキヌマブ） | 外科治療の検討<br>・ドレナージ・seton 法等<br>内科的治療<br>・抗菌薬（メトロニダゾール，シプロフロキサシン）<br>・生物学的製剤（インフリキシマブ，アダリムマブ） | 狭窄：<br>・外科治療の検討<br>・炎症沈静化後の内視鏡的バルーン拡張<br>瘻孔：<br>・外科治療の検討<br>・外瘻ではインフリキシマブ，アダリムマブ，アザチオプリン，6-MP | 部分経腸栄養療法<br>寛解維持療法に準ずる薬物療法<br>・5-ASA 製剤<br>・免疫調節薬（アザチオプリン，6-MP）<br>・生物学的製剤（インフリキシマブ，アダリムマブ，ウステキヌマブ） |

図2　小児クローン病治療指針

（文献8）より転載

**小児薬用量**

- メサラジン徐放剤（ペンタサ®顆粒/錠など）　50〜100 mg/kg/日：最大量 3 g/日
- サラゾスルファピリジン（サラゾピリン®錠など）　40〜100 mg/kg/日：最大量 4 g/日
  ＊小児等への適応は承認されていない．新生児，低出生体重児では高ビリルビン血症を起こすことがあり，使用しないこと

## ❸ 抗菌薬

- 肛門病変，瘻孔を伴うクローン病にはメトロニダゾールやシプロフロキサシンが有効なこともある．シプロフロキサシンについては，15歳未満において関節障害発現の可能性があるため原則として使用は認められておらず，他の抗菌薬に対するアレルギーを有する症例や，他の抗菌薬が奏効しない重症例にのみ使用が考慮される．

**小児薬用量**

- メトロニダゾール（フラジール®など）　10〜20 mg/kg/日：分2 経口
  ＊適応症に偽膜性腸炎を含む細菌性腸炎が含まれる．小児等に対する安全性は確立されていない（使用経験がない）
- シプロフロキサシン（シプロキサン®など）　20 mg/kg/日：分2 経口か点滴静注：最大量 400 mg/日
  ＊シプロキサンは，15歳未満の小児では禁忌とされるため，治療上の有益性を十分に考慮する必要がある

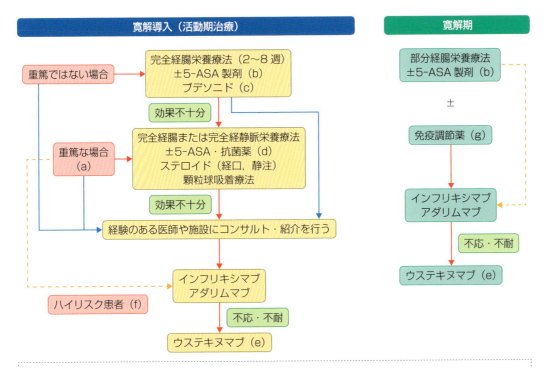

**図3　小児クローン病治療フローチャート**

a．重篤な場合とは下記1～7のいずれかの場合である
  1．頻回（6回/日以上）の激しい下痢，下血，腹痛を伴い経腸栄養が困難
  2．高度の腸管狭窄や腸閉塞が存在し経腸栄養が困難
  3．高度の肛門病変，瘻孔，膿瘍形成があり経腸栄養が困難
  4．消化管出血が持続
  5．38℃以上の高熱，腸管外症状（関節炎，結節性紅斑，壊疽性膿皮症，口内炎など）により衰弱が強く，安静のうえ全身管理を要する
  6．著しい栄養障害がある
  7．PCDAIが70（またはCDAIが450）以上
b．5-ASA製剤は，軽症例の寛解導入・寛解維持薬として選択されるが，クローン病に対する有効性を示す根拠はない
c．ブデソニドは，完全経腸栄養療法が困難な回盲部病変に対して使われることがある
d．肛門病変，瘻孔にメトロニダゾールやシプロフロキサシンの併用が有用な場合がある
e．小児でのウステキヌマブの使用経験は少なく，インフリキシマブ・アダリムマブの不応例・不耐例に対して使用を検討する
f．ハイリスク患者は，以下のような患者で，早期の生物学的製剤導入を検討する
  ・広範におよぶ小腸病変を有する症例
  ・重度の潰瘍を有する大腸病変を有する症例
  ・Tanner stage 2～3（思春期初期～中期）で，有意な成長障害を有する症例
  ・重度の肛門病変を有する症例
  ・ステロイド抵抗性/依存性の症例
  ・重篤な腸管外合併症（重篤な関節炎，壊疽性膿皮症など）を有する症例
g．免疫調節薬（チオプリン製剤）の安全性について，患者・家族に十分説明したうえで使用されるべきである

（文献8）より転載）

## ❹ ステロイド

- ステロイド薬は寛解維持には有用ではなく，ステロイド薬の長期投与は成長障害の原因となる．ステロイド依存の小児では，免疫調節薬や生物学的製剤を用いた薬物療法が必要となる．
- プレドニゾロン：活動期クローン病の小児の寛解導入に用いることがある．ただし痔瘻には無効である．小児クローン病では初発時に成長障害を伴っている場合が多いため，ステロイド薬の長期投与は厳に慎むべきである．
- ブデソニド：軽症から中等症のクローン病ではプレドニゾロンに匹敵する寛解導入効果を認め，副作用はプレドニゾロンに比べて有意に低いとされるため，特に成長障害を伴う症例では利点があると考えられる．

---

**小児薬用量**

- プレドニゾロン（プレドニン®など）　1～2 mg/kg/日：最大量 40～60 mg/日
- ブデソニド（ゼンタコート®）　1日朝1回9 mg，年齢と体重により適宜調整
    *米国では，8歳以上で体重 25 kg 以上の小児において成人と同量が投与可能とされているが，国内では現時点で小児等への適応は承認されていない

---

## ❺ 免疫調節薬

- チオプリン製剤［アザチオプリン/6-メルカプトプリン（6-MP）］：再燃寛解型，ステロイド抵抗型・依存型のクローン病の患者に対し，寛解導入効果ではなく，寛解維持効果を期待して使用する．痔瘻などの肛門病変の改善にも有効である．しかし，チオプリン製剤の効果が発現するまで2～3ヵ月を要する．
- チオプリン製剤使用に伴うリンパ増殖性疾患や悪性リンパ腫発症の相対リスクの増加が報告されている．また，Epstein-Barr virus（EBV）感染症が，リンパ増殖性疾患やリンパ腫のリスクとなることから，EBV未感染例では注意深い経過観察が望まれる．
- チオプリン製剤に抗TNF-α抗体製剤を併用している若年（約半数は20歳未満）の男性IBD患者を中心に，致死的な肝脾T細胞リンパ腫（hepatosplenic T-cell lymphoma：HSTCL）が発生したことが報告されたが，わが国では，これまでのところHSTCLの合併例の報告はない．
- メトトレキサート：小児クローン病においてチオプリン製剤が無効や禁忌の場合や抗TNF-α抗体製剤を使用する際に寛解維持を目的とした治療の選択肢の1つとなりうる．わが国では注射薬と内服薬のどちらも製造販売されているが，クローン病に対する使用は承認されていないため，有益性が上回る場合のみ使用を検討することが望ましい．

> **小児薬用量**
>
> - アザチオプリン（イムラン®・アザニン®など） 0.5 mg/kg/日程度で開始し，副作用や効果をみながら，通常1～2.5 mg/kg/日（最大1日100 mg）まで増量する
> - 6-MP（ロイケリン®） 0.5～1.0 mg/kg/日：分1．アザチオプリンの概ね半量を目安とし，0.5～1.5 mg/kg/日（最大1日50 mg）で用いる
>   *クローン病に対する使用は承認されていない
> - メトトレキサート（メソトレキセート®など） 10 mg/m$^2$，週1回皮下注：最大量15 mg/m$^2$．寛解後は週1回内服．アザチオプリン・6-MPが無効あるいは禁忌の患者に対して使用を検討する
>   *クローン病に対する使用は承認されていない

## ❻ 生物学的製剤

● 免疫調節薬による治療を最適化してもなお慢性活動性の管腔病変を有する患者，ステロイド抵抗性の活動期の患者，活動性の痔瘻を有する患者（同時に適切な外科的介入を考慮する）が適応としてあげられているが，以下のようなハイリスク患者では，比較的早期の生物学的製剤導入も検討される．

> ①広範に及ぶ小腸病変を有する症例
> ②重度の潰瘍を有する大腸病変を有する症例
> ③ Tanner stage 2～3（思春期初期～中期）で有意な成長障害を有する症例
> ④重度の肛門病変を有する症例
> ⑤ステロイド抵抗性／依存性の症例
> ⑥重篤な腸管外合併症（重篤な関節炎，壊疽性膿皮症など）を有する症例

> **小児薬用量**
>
> - インフリキシマブ（レミケード®，バイオシミラー製剤） 5 mg/kg（0, 2, 6週）を点滴静注で導入し，以後維持療法として，8週ごとに5 mg/kgを点滴静注する．効果減弱例に対する治療強化として，10 mg/kgを8週ごとまたは5 mg/kgを4週ごとの投与が可能である
>   *6歳以上の小児への使用が承認されている
> - アダリムマブ（ヒュミラ®） 160 mg（0週），80 mg（2週）皮下注射で導入し，以後維持療法として，2週ごとに40 mgを皮下注射する．効果減弱例に対する治療強化として80 mgを2週ごとの投与が可能である
>   *米国，EU諸国では小児適応があるが，国内では小児等への適応は承認されていない．海外で承認またはガイドラインに載せられている用法用量としては，①上記用量を最大量として，2.4 mg/kg（0週），1.2 mg/kg（2週）皮下注射で導入し，以後維持療法として，2週ごとに0.6 mgを皮下注射する，②体重40 kg未満では80 mg（0週），40 mg（2週）皮下注射で導入し，以後維持療法として，2週ごとに20 mgを皮下注射する
> - ウステキヌマブ（ステラーラ®） 点滴静注製剤を260 mg（体重55 kg以下），390 mg（体重55～85 kg），520 mg（体重85 kg超）で導入し，その8週後から維持療法として皮下注製剤を12週ごとに90 mg皮下注射する．効果減弱例に対する治療強化として90 mgを8週ごとの投与が可能である
>   *国内，海外ともに小児クローン病に対する使用は承認されていない

# 第8章 小児

### ❼ 顆粒球吸着療法

- ダブルルーメンの中心静脈カテーテルなどを用いて血管を確保できれば，小児においても施行することが可能である．カラムと回路内の血液充填量の観点から一般的に体重25 kg以上で施行可能とされる．
- ステロイド薬や生物学的製剤と比べて副作用が少ない非薬物療法であるため，ステロイド薬を使用できない症例や生物学的製剤の使用に同意が得られない症例においては寛解導入時の治療法の選択肢となりうる．

### ❽ 肛門病変に対する診療

- 小児クローン病では高率に肛門病変を合併し，再発・難治であるため，その管理は重要である．小児の診察に際しては，児の疼痛，恐怖感，羞恥心に配慮し，適切な環境で，声をかけながら丁寧に診察する．痔瘻・膿瘍，裂肛・肛門潰瘍，皮垂，肛門部狭窄の有無を評価し，経験ある外科医と連携して診療することが望ましい．状況によっては，全身麻酔下での肛門診察（examination under anesthesia：EUA）も考慮する．
- 慢性肉芽腫症，IL-10/IL-10受容体異常症，X連鎖リンパ増殖症候群2型［XIAP（X-linked inhibitor of apoptosis）欠損症］など，単一遺伝子異常に基づく免疫不全において，IBD様の腸炎や肛門部病変を合併する症例が報告されているが，これらの疾患の中には骨髄移植が根治的な治療となるものも存在する．特に乳幼児期に難治性肛門病変が出現した症例では，遺伝子検査による鑑別が重要であり，専門施設へのコンサルトが望ましい．

### ❾ 外科療法

- クローン病における外科治療は根治的なものではなく，再発を抑えるものではない．しかしながら，適応を誤らず，内科的管理をうまく組み合わせるならば，病状を改善し患児と家族のQOLを向上できることがある．
- その絶対的適応と相対的適応は下記のとおりである．相対的適応における手術時期と術式は，多面的かつ総合的に決定されるべきであり，過去の内科治療歴，患児・家族の疾患の受け入れ状況，学校生活への影響，病変の部位性状（炎症性もしくは線維性）・範囲，さらには術後の内科的治療プランなども念頭に置く．

> **絶対的適応**：①穿孔，②大量出血，③中毒性巨大結腸症，④内科治療で改善しない腸閉塞，膿瘍，⑤小腸癌，大腸癌（痔瘻癌を含む）
> **相対的適応**：①難治性腸管狭窄，内瘻，外瘻，②腸管外合併症（成長障害など），③内科治療無効例，④難治性肛門部病変（痔瘻，直腸腟瘻など），直腸肛門病変による排便障害（頻便，失禁などQOL低下例）

- 周術期管理では，術前より経腸・静脈栄養を導入することで，低アルブミン血症や貧血などの栄養障害を積極的に是正する．必要に応じて術前にイレウス管による減圧，経皮

的膿瘍ドレナージ，外瘻部の皮膚管理などを行う．術前ステロイド薬投与例では感染性合併症の増加だけでなく，吻合術例での縫合不全の危険性などがあり，可能であれば，術前にステロイド薬を減量する．
- 周術期はステロイドカバーを行い，副腎機能不全に留意しながらステロイド薬を減量する．ただしステロイドカバーの方法はエビデンスがないのが現状であり，特に小児例では小児内分泌に精通した医師の助言に基づき施行することが推奨される．
- 痔瘻・膿瘍の軽症例（日常生活に支障のない程度の自覚症状）では，抗菌薬投与や切開排膿を検討するが，中等症以上の有症状例（持続性の疼痛，排膿）ではシートン法ドレナージを考慮し，痔瘻根治術の適応は慎重にすべきである．
- 肛門病変に対して薬物治療（免疫調節薬，生物学的製剤）を導入する場合は，ドレナージによって局所の感染巣を制御した後に開始する．
- 著しい QOL の低下をきたす重症の肛門部病変は，人工肛門造設の適応となりうる．一時的もしくは永久的人工肛門の選択は個々の背景を考慮し，患者やその家族と話し合って決定する．人工肛門を造設しても，直腸肛門部病変は再燃ばかりでなく癌合併のリスクがあり，継続的な観察が必要である．

## ❿ monogenic IBD の治療

- 遺伝性の IBD が疑われる患者においても，潰瘍性大腸炎，クローン病に準じた治療が行われるが，易感染性を伴う原発性免疫不全症における免疫抑制療法には十分な配慮が必要となる．
- 特に乳幼児の IBD においては，完全経腸栄養療法が有用であり，腸炎のコントロールがついた場合には，原疾患の検索や，生ワクチンの導入についても検討されるべきである．特に成分栄養剤を用いる場合には，必須脂肪酸欠乏やセレン欠乏を予防するための補充療法を行うべきである．
- チオプリン製剤や生物学的製剤の導入にあたっては，診療経験のある施設へのコンサルテーションが望ましい．
- IL-10 シグナル異常症，XIAP 欠損症，IPEX（immune dysregulation, polyendocrinopathy, enteropathy, X-linked）症候群，慢性肉芽腫症などは同種骨髄移植による治癒の可能性もあることから，専門施設との連携のもと治療方針を検討していく必要がある．
- monogenic IBD においては，病態に即した治療の検討が可能であり，慢性肉芽腫症に対するサリドマイドや抗 IL-1 抗体製剤のカナキヌマブ，IL-10 シグナル異常症やメバロン酸キナーゼ欠損症に対するカナキヌマブ，CTLA-4（cytotoxic T-lymphocyte antigen-4）ハプロ不全症や LRBA（lipopolysaccharide-responsive beige-like anchor protein）欠損症に対するアバタセプトの使用などが報告されている．
- 若年 IBD 患者の手術率は年長児と同等以上とされ，特に難治性肛門病変や治療抵抗性の症例では，人工肛門の造設を含めた外科治療を丁寧に考慮していくことが必要となる．

# 第8章 小児

## 3 その他の小児クローン病診療における重要なポイント

### ❶ 予防接種
- IBD患者に免疫抑制療法を開始する際には，日本小児科学会が推奨するすべての予防接種を，学会が推奨する接種スケジュールを参考とし，実施しておくことが望まれる．特に，麻疹・風疹・ムンプス・水痘に未罹患・未接種の場合や，十分な抗体が獲得されていない場合には，免疫抑制療法を開始する前に該当する生ワクチンを接種しておくことが望ましい．

### ❷ 心理社会的側面
- クローン病は慢性疾患であり，健康な同世代の児と比較してQOL（quality of life）が低下することが示されている．
- 適切な心理社会的介入は，患児が病気への対処法を学び，自己管理能力を向上させるとともに，自尊心（self-esteem）の向上にも貢献する．
- 医師，看護師，臨床心理士，管理栄養士，ソーシャルワーカーなどの多職種のメディカルスタッフと連携しながらの介入が好ましい．それぞれのメディカルスタッフが患者情報を共有しながら，その専門的知識や技術を生かすことで患児の疾患受容・アドヒアランスの向上につながると考えられる．

### ❸ トランジション（移行期医療）
- 「トランジション」は，小児診療科から成人診療科への移り変わりに伴う意図的かつ計画的な一連の取り組み（プロセス）である．「トランスファー（転科）」は成人診療科への引き渡しポイントであり，トランジションの一部である．
- スムーズなトランスファーのためには，小児診療科で適切な診療情報提供書を作成する必要がある．患者は寛解期であるほうが好ましい．また，トランジション専門外来を設置したり，小児診療科と成人診療科の共同外来を設けたり，あるいは小児診療科と成人診療科を交互に受診する期間を作ったりといった工夫が推奨される．

### ❹ 成長障害
- 成長障害は，特に小児クローン病診療における注意すべきポイントであり，その正常化は主な治療目標の1つである．病因として，栄養摂取不足，小腸における吸収不全，炎症性サイトカインによる成長抑制，ステロイド薬による成長抑制などがあげられる．
- 小児クローン病の治療に際しては，身長・体重・二次性徴・骨年齢などの成長の指標を定期的に確認する必要がある．身長・体重の評価には成長曲線が有用である．初診時にすでに成長障害・骨年齢遅延をきたした症例においても，原病および栄養障害を適切に治療することによって，より正常に近い成長が期待できる．

(新井勝大)

## 文 献

1) Benchimol EI et al：Trends in Epidemiology of Pediatric Inflammatory Bowel Disease in Canada：Distributed Network Analysis of Multiple Population-Based Provincial Health Administrative Databases. Am J Gastroenterol 112：1120-1134, 2017
2) Arai K et al：Phenotypic characteristics of pediatric inflammatory bowel disease in Japan：results from a multicenter registry. Intest Res 18：412-420, 2020
3) Levine A et al：Pediatric modification of the Montreal classification for inflammatory bowel disease：the Paris classification. Inflamm Bowel Dis 17：1314-1321, 2011
4) Turner D et al：Which PCDAI Version Best Reflects Intestinal Inflammation in Pediatric Crohn Disease? J Pediatr Gastroenterol Nutr 64：254-260, 2017
5) Levine A et al：ESPGHAN revised porto criteria for the diagnosis of inflammatory bowel disease in children and adolescents. J Pediatr Gastroenterol Nutr 58：795-806, 2014
6) Uhlig HH et al：The diagnostic approach to monogenic very early onset inflammatory bowel disease. Gastroenterology 147：990-1007 e3, 2014
7) Arai K：Very early-onset inflammatory bowel disease：a challenging field for pediatric gastroenterologists. Pediatr Gastroenterol Hepatol Nutr 23：411-422, 2020
8) 新井勝大 他（小児IBD治療指針2019改訂ワーキンググループ）：小児クローン病治療指針（2019年）．日本小児栄養消化器肝臓学会雑誌 33：90-109, 2019
9) Ruemmele FM et al；European Crohn's and Colitis Organization；European Society of Pediatric Gastroenterology, Hepatology and Nutrition：Consensus guidelines of ECCO/ESPGHAN on the medical management of pediatric Crohn's disease. J Crohns Colitis 8：1179-1207, 2014

# 第9章 妊娠

## 1 IBD 合併妊娠管理の基本的な考え方

- 若年者に好発する炎症性腸疾患（inflammatory bowel disease：IBD）では，妊娠・授乳中にどのように治療を行い，いかに安全に出産・授乳をさせるかが重要な課題である．そのため主治医は，患者が安全に子どもをもてるよう，産婦人科，小児科医と協力しながら管理にあたる．
- 一方，妊娠は一定の確率で合併症が起こりうる，デリケートな問題であることを医療者が理解し，事前に患者に説明しておくことも必要である（わが国の一般人ベースラインリスク：自然流産 15％，不妊 10％，先天形態異常 3〜5％）[1]．
- IBD 患者の妊娠については，海外でデータが集積されている．それによると，妊娠中寛解が得られていれば，一般に IBD 合併妊娠の妊娠合併症の危険は低く，おおむね安全に妊娠出産が可能である．また，妊娠中の母体および胎児への最大のリスクは IBD の疾患活動性であり，治療による有益性が投薬リスクを上回り，妊娠中も継続すべきとする意見が主流である[2,3]．日本人のデータはまだ少ないが，最近の報告では，海外同様の結果が報告されている[4〜7]．
- わが国で主治医が利用可能な妊娠に関する情報源として，薬剤の添付文書以外に，日本消化器病学会の炎症性腸疾患（IBD）診療ガイドライン[8]，日本産科婦人科学会の産婦人科診療ガイドライン[1]があげられる．さらに，医療者および患者が利用できる資料として，難治性疾患等政策研究事業による「妊娠を迎える炎症性腸疾患患者さんへ─知っておきたい基礎知識 Q&A」[9]「全身性エリテマトーデス（SLE），関節リウマチ（RA），若年性特発性関節炎（JIA）や炎症性腸疾患（IBD）罹患女性患者の妊娠，出産を考えた治療指針」[10]は，患者自身がインターネットから直接アクセスでき，有用である．
- 以上，IBD 患者の妊娠・授乳中の治療については，個々の症例に応じて有益性と有害性を考慮し，患者と主治医が話し合い，決定することが重要である．また，日頃から安全で適切な妊娠時期について，主治医と患者がよく話し合い，計画的に出産を考える必要がある．

## 2 疾患の遺伝性

- IBD は，明らかに子どもに遺伝するような，いわゆる遺伝疾患ではない．
- IBD 患者の子どもに IBD が発症する可能性は，欧米の報告で一般の 2〜13 倍，IBD 患者の第一度親族の血縁者のクローン病罹患率は 5.2％とされている．この増加が遺伝的素因によるのか，環境因子によるものかは明確にされていない[11]．

## 3 クローン病による受胎・妊娠・出産・授乳への影響

### ❶ 受胎への影響
- クローン病の寛解期における妊孕率は，健常人とおおむね同等とする報告が多い．
- しかし，医学的に妊孕性に問題がなくても，薬や疾患に関する誤った理解から，患者が自発的に出産を控える傾向にあることも報告されている．また，性交頻度には健常者と有意な差はないという報告もあるが，クローン病の女性患者では，腹痛や漏便の心配などから，性交頻度が下がるとする報告もある．
- クローン病の活動期には，不妊率が増加する[12]．その原因として，卵管・卵巣への炎症の波及，肛門周囲疾患や腟瘻による性交疼痛症などが推測されている．
- クローン病の術後では，癒着により卵管の通過障害による不妊を生じる可能性がある．しかし，もしそうなっても，人工授精などにより一般的に妊娠は可能である．
- 男性患者がサラゾスルファピリジン（SASP）服用中の場合，精子の運動性と数が低下し可逆的に受胎能力が低下する[13]．これは用量依存性で，葉酸補充の影響を受けない．SASPによる精子への影響は，内服中断により2〜3ヵ月で正常に戻る．

### ❷ 妊娠・出産・分娩への影響
- 活動期IBD合併妊娠では，早産，低出生体重のリスクがわずかに増加する[2,3]．先天奇形のリスクは増加しないと報告される[14]．これらのリスク増加の原因が，疾患活動性によるものか，治療薬によるものかを厳密に区別することは難しいが，他の多くの疾患合併妊娠と同様に，妊娠中の母体および胎児へのリスクが最も大きいのはIBDの疾患活動性で，治療薬ではないとするのが，現時点での一般的な見解である．
- IBDが寛解を維持していれば，おおむね安全に妊娠・出産可能とされる[2,3]．
- クローン病患者の分娩形式は，一般と同様に普通分娩で問題ない．しかし，活動性の肛門病変がある場合や，会陰に近い方向に痔瘻の開口部がある場合などは，帝王切開が望ましい場合があるため，主治医が肛門病変の状況を確認し，産科医と相談する必要がある．

### ❸ 授乳への影響
- 疾患自体が，特に授乳に影響するとする報告はない．

## 4 妊娠・出産によるクローン病への影響

- IBDの母親が寛解期に妊娠した場合，妊娠中のIBDの再燃率は，非妊娠時と同等である[15]．一方，活動期に妊娠すると，2/3の患者で活動性が持続し，うち2/3が悪化するとされる[15]．したがって，寛解期に妊娠するよう患者に助言することが重要である．妊娠前にどの程度寛解維持期間をおくべきかについてのデータはないが，欧米の専門医のコンセンサスによると，3ヵ月程度と記載されている．

# 第9章 妊 娠

- 妊娠中の再燃は，クローン病よりも，潰瘍性大腸炎で多いとする報告がある[16].
- 妊娠を契機に，薬物に対する不安から服薬コンプライアンスが低下し再燃する可能性があるため，事前に患者によく説明しておく必要がある.

## 5 クローン病治療薬の妊娠・児に対する影響

- 疾患合併妊娠と，妊娠・授乳中の投薬については，投薬を中止した場合の再燃リスクと治療のベネフィットを検討し，患者に十分な説明を行ったうえで話し合いながら，適切な informed choice のもとに決定すべきである．患者には，治療薬の児への影響と，その治療薬の有益性，必要性の双方について，十分説明する必要がある.
- 患者が妊娠前に投薬を受けた，一般的な IBD 治療薬が原因で，その後に不妊や先天形態異常が増えることはない.
- 一般的に，妊娠中の投薬により明らかに児に悪影響を与えうる薬剤は少数存在し，妊娠週数と関係している（図1）．受精から2週間は，"all or none の時期" と呼ばれ，ごく特殊な薬剤を除き，この時期に投与された薬剤が原因で，児の先天形態異常率が増加することはないとされる．児の器官はおおむね妊娠12週までに形成され，この時期を越えて投与された薬剤が原因で，先天形態異常を起こすことは，おおむねないと考えられる.
- 妊娠12週までの絶対過敏期に投与され，先天形態異常率を起こしうる薬剤は少数存在し，ワルファリン，メトトレキサート（MTX）などがあげられる．12週以降の相対過敏期に投与され，機能異常を起こしうる薬剤として，テトラサイクリン，非ステロイド性消炎鎮痛薬（NSAIDs）などがあげられる[1].
- 日本の医薬品集（添付文書）では，ほとんどの薬剤で，妊娠・授乳中の投与を避けるよう記載されている．これを厳守すると，治療を要するすべての疾患合併妊娠の患者は投薬を受けながら安全に出産することは不可能となる．一方，産婦人科診療ガイドラインに記載されている妊娠中に配慮すべき薬剤に，わが国で一般的に使用されている IBD 治療薬は含まれていない[1].
- IBD 合併妊娠に対する投薬の安全性について，わが国で参照可能な指針として前出の資料があげられる[1, 8〜10]．また，海外のガイドラインとして欧州のガイドライン[2〜3]も有用で参考になる（表1）.

### ❶ 女性患者の妊娠，胎児に対する影響

- 経口メサラジン（5-ASA）製剤は，1日3gまでの用量において妊娠中に安全に使用できることが実証されている．SASP は過去に核黄疸の危険因子と考えられていたことがあるが，実際には発生頻度の増加は認められていない．ただし SASP には抗葉酸活性があり，神経管閉鎖障害のハイリスクと考えられる．葉酸投与による予防のエビデンスはないが，妊娠前から3ヵ月まで1日4〜5mgの葉酸投与を行うことが望ましい（わが国では1錠5mgの葉酸錠（フォリアミン®）が処方可能）[1].

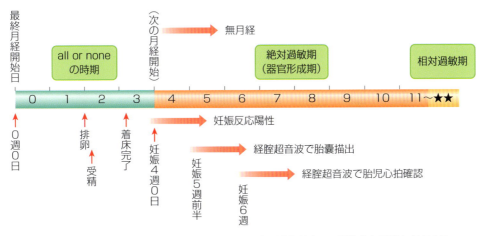

**図1 妊娠週数と奇形のおおまかなリスク**

**表1 クローン病治療薬の妊娠・授乳への安全性**

| 薬物 | 妊娠中 | 授乳中 |
|---|---|---|
| メサラジン | 低リスク | 低リスク |
| サラゾスルファピリジン | 低リスク | 低リスク |
| ステロイド剤 | 低リスク | 低リスク（内服後4時間以上あけての授乳がよりよい） |
| チオプリン製剤 | 低リスク（6-TGのデータに限定） | 低リスク |
| 抗TNF-α抗体製剤 | 低リスク | 恐らく低リスクだがデータは限定的 |
| ウステキヌマブ | 恐らく低リスク<br>IBD患者のデータは限定的 | 恐らく低リスク<br>IBD患者のデータは限定的 |
| ベドリズマブ | データは限定的 | 恐らく低リスクだがデータは限定的 |
| メトトレキサート | 禁忌 | 禁忌 |
| サリドマイド | 禁忌 | 禁忌 |
| メトロニダゾール | 1期は避ける | 避ける |
| シプロフロキサシン | 1期は避ける | 避ける |

6-TG：6-thioguanine

（文献2）より改変）

- 栄養療法中は，ビタミンAの過剰摂取に注意する（妊娠前3ヵ月〜初期3ヵ月はレチノール当量上限：3,000 μgRE，エレンタール® 1包：216 μgRE)[17]．
- ステロイド剤は，口蓋口唇裂と早産のわずかな増加が報告されているが，プレドニゾロン（PSL）は胎盤を通過するが胎盤の11-ヒドロキシゲナーゼによって活性の低い代謝物に速やかに代謝され，胎児血中濃度が低くなる．通常，PSL 30 mgまでの投与は必要時には妥当と考えられている．

# 第9章 妊娠

- チオプリン製剤［アザチオプリン（AZA）/6-メルカプトプリン（6-MP）］は，動物への大量投与により催奇形性が確認され，わが国の添付文書で妊婦への投与は禁忌とされる．IBD 女性患者の多数例を対象とした検討で，先天形態異常を含めた明らかな妊娠合併症の増加を認めておらず[18]，ECCO（European Crohn's and Colitis Organization）のガイドラインでは妊娠女性への投与は適切とされている[2]．これら薬剤の投与を受けている女性患者の妊娠が判明したら，投与の必要性を判断し，中止可能と判断されれば中止，継続が望ましいと判断される場合は胎児リスクを説明したうえで投与を継続する[1]．
- 抗 TNF-α 抗体製剤（インフリキシマブ，アダリムマブ）は，明らかな先天形態異常などの合併症が増加したとする報告はないが，妊娠中期以降は IgG1 抗体が能動的に胎盤関門を通過し，児の血中濃度は母体の約 1.5 倍に増加することが知られている．そのため，妊娠中期以降の抗 TNF-α 抗体製剤の投与については，中止可能と判断されれば中止を検討する[2]．
- インフリキシマブ，アダリムマブの投与を受けた母から生まれた児は免疫抑制状態にあり，生後 6 ヵ月頃まで BCG および生ワクチン接種を控える[19,20]．
- MTX は催奇形性および胎児毒性があり，妊娠中の投与は禁忌である．
- ウステキヌマブ，ベドリズマブなどの，新規 IBD 治療薬の，IBD 合併妊娠における安全性のデータは，まだ十分ではない．

### ❷ 男性患者に対する影響

- メサラジン，ステロイド，チオプリン製剤（AZA/6-MP），抗 TNF-α 抗体製剤（インフリキシマブ，アダリムマブ）の，男性クローン病患者における妊娠のデータは少ないが，おおむね大きな問題はないと考えられている[2,3]．

### ❸ 授乳に対する影響

- 母乳哺育は児にとって生物，栄養，神経学的に優れ，感染防御にも有利で母子間の絆を深めるなどの利点があるため，誤った情報から授乳を中止することがないよう配慮する[1,17]．
- 母乳で育てられた子どもは，将来の IBD の発症頻度が低いことが知られている．
- 母に投与された治療薬の，乳汁中への分泌と哺乳時への影響に関して検討したデータはわずかで，特に日本人におけるデータはほとんどない．母体に投与された薬剤のほとんどは，程度の差はあれ母乳中に分泌され児に摂取されるが，海外では，多くの薬剤は児に移行してもわずかなため，実際には禁忌とされる例外を除き，授乳を中止させるほど問題にならないと考えられている．
- 5-ASA 製剤は，ごく微量ながら乳汁に移行する．メサラジン，SASP で各 1 例ずつ乳児でのアレルギーによる下痢の報告があるため，授乳中は児の下痢などの体調異常に留意する．多くの場合は安全と考えられている．
- プレドニゾロンも母乳中に少量移行し，児が摂取する量は母体への投与量の 0.1% 以下

- で影響は少ない．
- チオプリン製剤（AZA/6-MP）は，母乳中で，検出不能であるか微量に検出される．少数例の新生児の検討では，代謝物は検出不能であったため授乳を助言してよいとされるが，児に貧血を認めたとする報告もある．
- 抗TNF-α抗体製剤は，母乳中に分泌されるが，多くの報告で検出感度以下であったこと，分泌されても児の消化管で消化されると考えられ，容認可能と考えられている．
- メトロニダゾール，シプロフロキサシン，シクロスポリン，タクロリムスは母乳中に排泄され，授乳期は専門医による新生児の厳重な観察下での投与が必要とされる．[1~3, 17, 21]

> ※妊娠・授乳における薬剤投与の絶対的安全性のエビデンスはなく，常に新しい情報が追加されるので，主治医は産科主治医と協力し，最新情報にアクセスする努力をする．厚生労働省事業としての国立成育医療研究センター「妊娠と薬情報センター」[22]は，最新データが更新され，患者自身もアクセスし情報入手が可能である．

（国崎玲子・関　和男）

## 文献

1) 日本産科婦人科学会／日本産婦人科医会（編・監）：産婦人科診療ガイドライン―産科編2017．日本産科婦人科学会，2017
2) van der Woude CJ et al：The second European evidence-based Consensus on reproduction and pregnancy in inflammatory bowel disease. J Crohns Colitis 9：107-124, 2015
3) Nguyen GC et al：The Toronto Consensus Statements for the Management of Inflammatory Bowel Disease in Pregnancy. Gastroenterology 150：734-757, 2016
4) Naganuma M et al：Conception and pregnancy outcome in women with inflammatory bowel disease: A multicentre study from Japan. J Crohns Colitis 5：317-323, 2011
5) Sato A et al：Conception outcomes and opinions about pregnancy for men with inflammatory bowel disease. J Crohns Colitis 4：183-188, 2010
6) Komoto S et al：Pregnancy outcome in women with inflammatory bowel disease treated with anti-tumor necrosis factor and/or thiopurine therapy：a multicenter study from Japan. Intest Res 14：139-145, 2016
7) Tsuda S et al：Pre-conception status, obstetric outcome and use of medications during pregnancy of systemic lupus erythematosus（SLE）, rheumatoid arthritis（RA）and inflammatory bowel disease（IBD）in Japan：Multi-center retrospective descriptive study. Mod Rheumatol 30：852-861, 2020
8) 日本消化器病学会（編）：炎症性腸疾患（IBD）診療ガイドライン2020（改訂第2版）．南江堂，2020
9) 難治性炎症性疾患腸管障害に関する調査研究班（鈴木班）：妊娠を迎える炎症性腸疾患患者さんへ―知っておきたい基礎知識Q&A
http://ibdjapan.org/patient/pdf/03.pdf（2021年1月閲覧）
10) 難治性疾患等政策研究事業「関節リウマチ（RA）や炎症性腸疾患（IBD）罹患女性患者の妊娠，出産を考えた治療指針の作成」研究班：全身性エリテマトーデス（SLE），関節リウマチ（RA），若年性特発性関節炎（JIA）や炎症性腸疾患（IBD）罹患女性患者の妊娠，出産を考えた治療指針
http://ra-ibd-sle-pregnancy.org/index.html（2021年1月閲覧）
11) Mahadevan U：Fertility and pregnancy in the patient with inflammatory bowel disease. Gut 55：1198-1206, 2006

12) Fonager K et al：Pregnancy outcome for women with Crohn's disease：a follow-up study based on linkage between national registries. Am J Gastroenterol 93：2426-2430, 1998
13) O'Moráin C et al：Reversible male infertility due to sulphasalazine：studies in man and rat. Gut 25：1078-1084, 1984
14) Mahadevan U et al：Pregnancy outcomes in women with inflammatory bowel disease：a large community-based study from Northern California. Gastroenterology 133：1106-1112, 2007
15) Bortoli A et al：Pregnancy outcome in inflammatory bowel disease：prospective European case-control ECCO-EpiCom study, 2003-2006. Aliment Pharmacol Ther 34：724-734, 2011
16) Pedersen N et al：The course of inflammatory bowel disease during pregnancy and postpartum：a prospective European ECCO-EpiCom Study of 209 pregnant women. Aliment Pharmacol Ther 38：501-512, 2013
17) Briggs GG et al：Drugs in Pregnancy and Lactation（9th ed）. Lippincott Williams & Wilkins, 2011
18) Coelho J et al：Pregnancy outcome in patients with inflammatory bowel disease treated with thiopurines: cohort from the CESAME Study. Gut 60：198-203, 2011
19) Cheent K et al：Case Report：Fatal case of disseminated BCG infection in an infant born to a mother taking infliximab for Crohn's disease. J Crohns Colitis 4：603-605, 2010
20) 日本小児感染症学会（監），「小児の臓器移植および免疫不全状態における予防接種ガイドライン2014」作成委員会：小児の臓器移植および免疫不全状態における予防接種ガイドライン2014．協和企画，2014
21) Ito S：Drug therapy for breast-feeding women. N Engl J Med 343：118-126, 2000
22) 国立成育医療研究センター．妊娠と薬情報センター
http://www.ncchd.go.jp/kusuri/index.html（2021年1月閲覧）

# 第10章 高齢者

## 1 疫 学

### ❶ 高齢者の定義
- 高齢者の定義はさまざまで，世界的に明確な基準があるわけではない．
- 多くの先進国では 65 歳以上となっているが，60 歳以上を高齢者とする国もあり，国連では 60 歳以上を高齢者と定義している[1]．
- わが国では 65 歳以上を高齢者と呼ぶことが一般化しているが，長寿命化と高齢者の身体機能向上が明らかとなった昨今では 75 歳以上を高齢者とする提言もある[1]．
- 炎症性腸疾患（IBD）の臨床研究においては，60 歳以上，あるいは 65 歳以上を高齢者と定義している報告が多い．

### ❷ 高齢発症クローン病の頻度
- クローン病は潰瘍性大腸炎と比べて高齢発症者の比率は少ない．
- 60 歳以上でクローン病と診断される症例の比率は国によって大きく異なっており，4〜18% と報告されている[2]．
- 年代ごとの発症率の変化をみた研究では，潰瘍性大腸炎では 60 歳以上の高齢発症者の比率が 2000 年代以降増加しているが，クローン病では年代ごとの高齢発症者の比率に変化はないと報告されている[3]．

## 2 診断と臨床的特徴

### ❶ 高齢発症クローン病の診断
- 高齢発症クローン病患者では非高齢患者と比べ，初発症状として直腸出血をきたすことが多いが，腹痛を訴えることは少ない[4]．
- 高齢発症クローン病患者では鑑別すべき疾患がより多岐にわたる．注意深い病歴聴取と生検病理診断を含めた内視鏡検査が重要であり，悪性疾患の除外も含め注意が必要である．**表**に高齢者において潰瘍性大腸炎も含めた IBD と鑑別を要する疾患を示す[2]．

### ❷ 高齢発症クローン病の病型と治療経過
- 高齢発症クローン病患者の病変部位は，より限局していることが多く，小腸大腸型は少ない．小腸病変を有することは少なく，大腸型が多い．60 歳以上で発症したクローン病患者の 6 割以上が大腸型であったとの報告もある[4]．
- 病態については，高齢発症クローン病患者では非高齢患者と比べ，炎症型から狭窄型・穿通型への進行が少なかったとする報告[5]，同等であったとする報告がある[3]．
- 入院率については高齢発症クローン病患者と非高齢患者の間で同等であったとの報告があり，手術率については高齢発症クローン病患者で診断後早期の手術率が高かった

# 第10章 高齢者

表 高齢者炎症性腸疾患（IBD）の鑑別診断

| | 症　状 | IBD との鑑別の可能性 |
|---|---|---|
| 感染性胃腸炎 | 急性下痢 | 抗菌薬使用歴, 便培養（C. difficile 含む） |
| 虚血性疾患 | 血性下痢, 食事摂取と関連した腹痛 | 心血管系疾患の病歴（うっ血性心不全, 不整脈, 動脈硬化性疾患, 血管炎, 糖尿病含む）, 異なる病変の局在部位 |
| 憩室性疾患（憩室炎） | 腹痛, 下痢 | 憩室性疾患の病歴, 内視鏡所見にて大腸憩室周辺の局所的な炎症 |
| 顕微鏡的大腸炎 | 女性に優位な非血性下痢 | 内視鏡検査で肉眼的異常所見を認めない, 組織学的に IBD と異なる所見 |
| NSAID 起因性腸病変 | 下痢, 腹痛 | NSAID 服用歴 |
| 放射線性大腸炎 | 血性下痢, 腹痛 | 腹部・骨盤部の放射線治療歴, 組織学的に IBD と異なる所見 |
| 直腸潰瘍症候群 | 血性下痢 | 便秘の病歴, 組織学的に IBD と異なる所見 |

NSAID：非ステロイド性消炎鎮痛薬. 　　　　　　　　　　　　　　　　　　　　　（文献 2）より改変引用）

が, 長期的には非高齢患者と同等であったとの報告がある[3].

## 3 内科治療

- 高齢クローン病患者に対する内科的治療方針と, ほとんどの薬剤に対する治療反応性は, 少なくとも発症時点においては非高齢患者と同等である[2].
- 高齢クローン病患者の内科治療における問題は, 非高齢患者と比べて何らかの併存症を抱え, 既に多剤の内服を行っている場合が多いことで, 服薬アドヒアランスの低下や, 薬物相互作用すなわちポリファーマシーの可能性が高くなることである.
- クローン病で問題となる薬物相互作用としては, 抗てんかん薬バルビツール酸誘導体による副腎皮質ステロイド代謝亢進を介したステロイドの作用減弱, チオプリン製剤によるワルファリン効果減弱, メサラジン製剤によるワルファリン効果増強, アロプリノールによるチオプリン製剤作用増強があげられる[2].

### ❶ 副腎皮質ステロイド

- 副腎皮質ステロイドの有効性は高齢クローン病患者と非高齢患者で同等である.
- 高齢発症 IBD 患者におけるステロイド使用に関する大規模研究において, ステロイドにより感染症のリスクが 2.3 倍に増加したと報告されている[6].
- 高齢患者では, 糖尿病や高血圧, 骨粗鬆症, 血栓症などの併存症を有することが多いが, ステロイドはこれらの併存症を悪化させる可能性が高いため注意が必要である.

### ❷ チオプリン製剤

- チオプリン製剤（アザチオプリン, 6-メルカプトプリン）は高齢クローン病患者でもよく忍容され, 有効性も非高齢患者と同等である.
- チオプリン製剤によるリンパ増殖性疾患のリスクは年齢とともに増大することが知ら

れており[7]，フランスの多施設前向き研究 CESAME study では，高齢と長い IBD 罹病期間がリンパ増殖性疾患の主要な危険因子であった[8]．
- 海外では非メラノーマ性皮膚癌のリスクを増加させることが知られているが，日本ではチオプリン製剤と皮膚癌の関連を示す報告はない．

### ❸ 抗 TNF-α 抗体製剤
- クローン病では高齢となってから抗 TNF-α 抗体製剤を開始した場合，非高齢者と比べて治療反応率が減少することが報告されている[2]．
- 65 歳以上の IBD 患者と 65 歳未満の患者の間で抗 TNF-α 抗体製剤の安全性と有効性を比較した nested case-control study では，65 歳以上の患者において治療開始 10 週時点での短期臨床反応率が有意に低かったが，6 ヵ月後の臨床反応率は同等であった[9]．このことは，高齢 IBD 患者では治療効果発現に一定の期間を要する可能性を示唆している．
- 免疫調節薬チオプリン製剤の併用は抗 TNF-α 抗体製剤単独よりも高い有効性を示すことが報告されているが，高齢クローン病患者での併用療法の有効性に関する検討はこれまで行われていない．むしろ高齢 IBD 患者では，併用治療により日和見感染のリスクがより増加することが報告されており，注意が必要である[10]．
- イタリアでの多施設前向き研究において抗 TNF-α 抗体製剤投与を受けた高齢 IBD 患者と非高齢患者を比較したところ，感染症発生率が 13% 対 2.6%，悪性腫瘍発生率が 3% 対 0%，死亡が 10% 対 1% と，いずれも高齢 IBD 患者で高かったことが示された[11]．投与前に感染症や悪性腫瘍の合併がないか，評価を行うことが重要と考えられる．
- 高齢 IBD 患者では抗 TNF-α 抗体製剤治療中の心血管イベントによる死亡の報告もあるため，治療開始前に心機能評価を行う必要がある[9]．

## 4　外科治療
- 外科治療の適応と方針については，狭窄に対する腸管部分切除や狭窄形成術，膿瘍に対するドレナージ術や責任腸管の切除など，若年者と変わるところはない．
- 米国の大規模臨床データベース ACS-NSQIP（American College of Surgeons National Surgical Quality Improvement Program）を用いた研究によれば，65 歳以上のクローン病手術例の術後 30 日死亡率は 4.2% であり，65 歳未満の 0.3% より有意に高かった[12]．
- 術後合併症発生率は 65 歳以上の高齢クローン病患者で 28.0% であり，65 歳未満の 19.4% より有意に高く，輸血を要する術後出血，心血管系合併症，神経系合併症，静脈血栓症などが問題となっていた[12]．術前より何らかの併存症を有する患者では特に注意が必要と考えられる．

## 5 合併症

### ❶ 感染症

- 米国の入院患者データベースを用いた研究によると，高齢はIBD患者における肺炎，敗血症，尿路感染，*Clostridioides difficile* 感染症の独立した危険因子であった[13]．
- わが国にて行われた前向き研究においても，年齢50歳以上と免疫調節薬の使用が日和見感染症の独立した危険因子であった[14]．
- 高齢クローン病患者では，免疫抑制治療を受ける前に，帯状疱疹ワクチン，肺炎球菌ワクチン，インフルエンザワクチン（毎年）などのワクチン接種を受けることが推奨される[2]．

### ❷ 悪性腫瘍

- 長期経過の大腸病変を有するIBDでは大腸癌のリスクが増加している．クローン病では加えて小腸癌のリスクが増加している．ただし加齢とともにそれらのリスクが増加するか否かは不明である[2]．

### ❸ 血栓性合併症と抗凝固療法，抗血小板療法

- 高齢とIBDは深部静脈血栓症のリスク因子であることが知られており[15]，入院中のすべての高齢クローン病患者では予防処置を考慮すべきである．
- 非薬物的予防としては，水分補充や，静脈血栓症のリスク因子である高ホモシステイン血症をきたしうるビタミン$B_6$，$B_{12}$，葉酸欠乏の是正，弾性ストッキングの使用，下肢間欠圧迫装置や術後の早期離床などがある[2]．また，手術後など血栓症リスクの高さに応じて抗凝固薬の使用を考慮する[15]．
- 高齢クローン病患者では非高齢者と比べて冠動脈疾患や脳血管疾患などで抗凝固薬や抗血小板薬を使用している割合が高いが，これら薬剤によるIBD再燃率が高くなるという報告はなく，むしろ再燃率が低下したとの報告がある[16]．
- 高齢クローン病患者でのアスピリン使用の有無で入院率に差がみられなかったとの報告もあり[17]，アスピリン使用を支持する根拠のある心血管系疾患を有する高齢クローン病患者にアスピリン服用を推奨することは賢明と考えられる[2]．

（高橋賢一）

### 文献

1) 荒井秀典：高齢者の定義について．日老医誌 56：1-5，2019
2) Sturm A et al：European Crohn's and Colitis Organisation Topical Review on IBD in the Elderly. J Crohns Colitis 11：263-273, 2017
3) Jeuring SF et al：Epidemiology and Long-term Outcome of Inflammatory Bowel Disease Diagnosed at Elderly Age - An Increasing Distinct Entity? Inflamm Bowel Dis 22：1425-1434, 2016
4) Charpentier C et al：Natural history of elderly-onset inflammatory bowel disease：a population-based cohort study. Gut 63：423-432, 2014

5) Lakatos PL et al：IBD in the elderly population：results from a population-based study in Western Hungary, 1977-2008. J Crohns Colitis 5：5-13, 2011
6) Brassard P et al：Oral corticosteroids and the risk of serious infections in patients with elderly-onset inflammatory bowel diseases. Am J Gastroenterol 109：1795-1802, 2014
7) Kandiel A et al：Increased risk of lymphoma among inflammatory bowel disease patients treated with azathioprine and 6-mercaptopurine. Gut 54：1121-1125, 2005
8) Beaugerie L et al：Lymphoproliferative disorders in patients receiving thiopurines for inflammatory bowel disease：a prospective observational cohort study. Lancet 374：1617-1625, 2009
9) Lobatón T et al：Efficacy and safety of anti-TNF therapy in elderly patients with inflammatory bowel disease. Aliment Pharmacol Ther 42：441-451, 2015
10) Toruner M et al：Risk factors for opportunistic infections in patients with inflammatory bowel disease. Gastroenterology 134：929-936, 2008
11) Cottone M et al：Advanced age is an independent risk factor for severe infections and mortality in patients given anti-tumor necrosis factor therapy for inflammatory bowel disease. Clin Gastroenterol Hepatol 9：30-35, 2011
12) Bollegala N et al：Increased Postoperative Mortality and Complications Among Elderly Patients with Inflammatory Bowel Diseases：An Analysis of the National Surgical Quality Improvement Program Cohort. Clin Gastroenterol Hepatol 14：1274-1281, 2016
13) Ananthakrishnan AN et al：Infection-related hospitalizations are associated with increased mortality in patients with inflammatory bowel diseases. J Crohns Colitis 7：107-112, 2013
14) Naganuma M et al：A prospective analysis of the incidence of and risk factors for opportunistic infections in patients with inflammatory bowel disease. J Gastroenterol 48：595-600, 2013
15) 日本循環器学会 他：肺血栓塞栓症および深部静脈血栓症の診断，治療，予防に関するガイドライン（2017年改訂版）．https://www.j-circ.or.jp/cms/wp-content/uploads/2017/09/JCS2017_ito_h.pdf（2021年1月閲覧）
16) Vinod J et al：The effect of antiplatelet therapy in patients with inflammatory bowel disease. J Clin Gastroenterol 46：527-529, 2012
17) Juneja M et al：Geriatric inflammatory bowel disease：Phenotypic presentation, treatment patterns, nutritional status, outcomes, and comorbidity. Dig Dis Sci 57：2408-2415, 2012

# 第11章 食事および生活指導

## 1 食事および生活指導の必要性

- クローン病では潰瘍性大腸炎と比較して食事内容や日常の過ごし方がより重要であり，薬物治療の効果にも影響を及ぼしている．
- 食事の欧米化に伴う動物性脂肪や n-6 系多価不飽和脂肪酸（PUFA）の摂取量増加と相まって，わが国のクローン病新規患者数も増えているとの報告がある[1]．
- ケースコントロール研究においては，クローン病発症前の脂肪摂取量がコントロール群よりも有意に多いことが明らかにされた（**表1**）[2]．
- 成分栄養剤（elemental diet：ED）の有効性が示されているが，栄養療法は究極の食事療法という考え方もできる（**表2**）．
- ただし，食事による影響は個人差があるため，「この食品は食べてはいけない」「この内容の食事を摂るべきである」など，画一的な食事指導は好ましくない．理想的には経過をみながら，個々の患者に合ったレベルの食事指導を反復することが重要である．
- 生活の乱れやストレスも悪化の原因となりうるが，むしろストレスにより食生活が乱れることが大きな問題と思われる．

## 2 食事指導

- クローン病は下痢や腹痛のため食事摂取量が低下しやすいが，逆に腸管炎症による発熱や感染によるエネルギー消費量は増大するため，栄養不良に陥りやすい．

表1　ケースコントロール研究による栄養素別の摂取量に対する IBD 発症リスク

|  | 潰瘍性大腸炎 | | クローン病 | |
| --- | --- | --- | --- | --- |
|  | オッズ比 | P値 | オッズ比 | P値 |
| 蛋白質 | 0.88〜1.36 | 0.31 | 1.29〜2.06 | 0.06 |
| 炭水化物 | 0.56〜0.74 | 0.37 | 0.53〜0.70 | 0.06 |
| 脂　肪 | 0.98〜2.40 | 0.28 | 1.31〜2.86 | 0.002 |

IBD：inflammatory bowel disease（炎症性腸疾患）．

（文献2）より引用）

表2　クローン病に対する食事の考え方

| 食事内容 | 成分栄養剤 | 和　食 | 洋食（肉類） |
| --- | --- | --- | --- |
| 脂肪量 | 非常に少ない | 少ない | 多い |
| 脂肪の質 | n-6 系 PUFA | n-3 系 PUFA も含む | 飽和脂肪酸や n-6 系 PUFA |
| 蛋白抗原 | なし | 少ない | 多い |
| クローン病への影響 | 治療となる | 影響少ない | 悪影響 |

- 寛解維持期でも脂肪の多い食事を続けると再燃をきたしやすいことが明らかとなっている．
- 活動期では重症度に応じて食事内容が異なり，さらに寛解期では再燃を予防することに重点を置いた食事指導が必要である．

## ❶ 活動期（重症）

- 活動度が高い状態では頻回の下痢や高度の腹痛を伴うため，基本的な考え方は「腸を休める」ことである．
- 絶食で経静脈的な栄養補給を行うが，炎症により必要エネルギーは増加しているため，中心静脈カテーテル留置による高カロリー輸液（完全静脈栄養）が望ましい．

## ❷ 活動期（軽症〜中等症）

- 活動度が高くない場合は経口摂取が可能であるが，最も腸にやさしいのは成分栄養剤，すなわち栄養療法となる．詳細は第4章に譲るが（「第4章⑥栄養療法」参照），寛解に到達すれば栄養剤を減らし徐々に食事量を増やす方法（スライド方式）が一般的である．
- 薬物療法と併用する場合は，900 kcal程度の栄養療法を行い，残りのエネルギーは食事で摂る（half ED）．
- 食事内容の基本は低脂肪，低残渣で消化の良いものとするが，個人差も大きいことに留意する．
  ① **エネルギー**：低栄養をきたさないためにも理想体重［kg］×（30〜35）［kcal］が必要であるが，成長期ではより多くのエネルギー量が必要となる．
  ② **炭水化物**：ご飯，うどんの摂取はまず問題ないが，ラーメンは脂肪が多いため症状が悪化しやすいといわれている．糖質も炭水化物であるため良いように思われがちであるが，疫学調査では砂糖菓子が悪化因子とされており，摂りすぎないように注意する．
  ③ **蛋白質**：牛肉，豚肉では動物性脂肪も同時に摂取しがちになるため極力脂肪を取り除くよう注意する．鶏肉，特にささみはほとんど脂肪がなく推奨されている．また，魚類は良質な蛋白源として摂取すべきである．魚類には脂肪分も含まれるが，後述のごとく問題は少ない．
  ④ **脂肪**：後ろ向き研究では1日の脂肪摂取量が20 gを超えてくると再燃率が急激に増加するというデータがあり（図1），これに基づいて20 g/日以下が望ましいとされている[3]．ただし，脂肪の質も考慮すべきであり，PUFAのうちn-6系よりもn-3系のほうが腸管炎症に与える影響が少ないとされている．食用油にはn-3系，n-6系，n-9系PUFAがさまざまな比率で含まれており（図2），n-6系PUFAを摂りすぎないように注意する．なお，n-3系PUFAはシソ油にα-リノレン酸として，また魚油にはEPAやDHAとして多く含まれている．
  ⑤ **食物繊維**：狭窄はクローン病腸管合併症の中で最も頻度が高い．また，活動期では

# 第11章 食事および生活指導

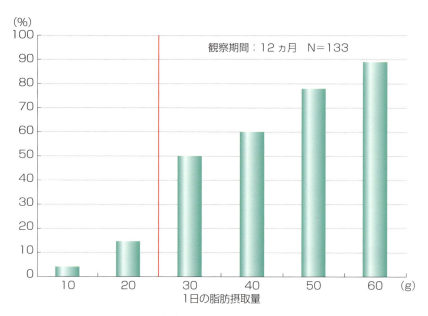

図1　1日の脂肪摂取量とクローン病累積再燃率

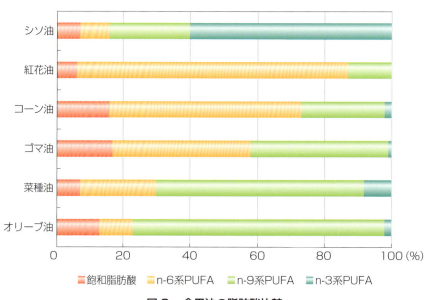

図2　食用油の脂肪酸比較

　炎症による浮腫のため通過障害を生じやすい．このため，狭窄症例では腸閉塞を予防するため，特に不溶性食物繊維を多く含む食品として，ごぼう，たけのこ，ほうれん草，なの花，干し柿，パイナップルなどは避けるべきである．
⑥ **その他**：消化を良くするために以下の3点が勧められている．
　（i）食品選択の工夫として，脂肪の多いものを避ける．

表3 クローン病で不足しやすいビタミン・微量元素と含有食品

| 栄養素 | 不足を補うための食品 |
|---|---|
| ビタミンA | 緑黄色野菜, レバー*, ウナギ |
| ビタミンD | マグロ, イワシ, 鮭, 卵, シイタケ |
| ビタミンE | 穀類, 植物油, 緑黄色野菜, 魚介類 |
| ビタミンK | 納豆, 緑黄色野菜 |
| 鉄 | 鶏肉, 魚 |
| 亜鉛 | 魚介類（特に牡蠣）, 肉類, きな粉 |
| カルシウム | 牛乳, ヨーグルト |
| セレン | カツオ, サワラ, アジ, マグロ, 穀類, 大豆 |

＊：n-6系PUFAを含む．

表4 医療用サプリメントと微量元素含有量

| 製品名 | エネルギー (kcal) | 蛋白質 (g) | 脂質 (g) | Na (mg) | K (mg) | P (mg) | Zn (mg) | Se (μg) | 浸透圧 (mOsm/L) |
|---|---|---|---|---|---|---|---|---|---|
| ブイ・クレスCP10 (125 mL, ミックスフルーツ) | 80 | 12.0 | 0 | 42 | 30 | 4.0 | 12 | 50 | 488 |
| テゾン（アップル風味） | 20 | 0 | 0 | 0〜63* | 42.4 | 3.1 | 4.0 | 20 | 255 |
| ブイ・アクセル（1包） | 27 | 2.1 | 0 | 0.03 | 39 | 7 | 5 | 50 | ― |

＊：製造会社による分析．

(ii) 調理の工夫として，皮や種，筋を取り除く，細かく切る，生よりも加熱する，など．
(iii) 食事の工夫として，良く噛む．

## ❸ 寛解期

- 寛解期の食事は再燃を防止することを目的としつつ，必要なエネルギーを摂取することが望ましい．ただし狭窄がなければ食物繊維を制限する必要がないため，低残渣にこだわらなくてよい．
- ただし，half ED（「第4章6-⑥寛解期の栄養療法」参照）などの栄養療法で維持療法を長期間行っていると，必須脂肪酸欠乏，脂溶性ビタミン（A, D, E, K）不足，微量元素欠乏などをきたす恐れがある．さまざまな食品（表3）を積極的に摂取して補うとよいが，微量元素は医療用サプリメントにより，効率良く摂取可能である（表4）．
- 炎症がなくとも腹痛，腹満，鼓腸，便通異常が改善しないときは，特に海外で，低FODMAP食品が有効との報告がある[4]．

# 第11章 食事および生活指導

 **低FODMAP食品**

バナナ，ブルーベリー，いちご，グレープフルーツ，にんじん，なす，じゃがいも，かぼちゃ，グルテン抜きパン，米，オーツ麦，ハードチーズ，豆腐，砂糖など．

## 3 生活指導

- クローン病は，遺伝的素因に生活習慣を始めとする環境因子（食生活，運動，喫煙，ストレスなど）が加わって発症すると考えられている．
- 発症後も日常生活の乱れやストレスにより再燃や増悪をきたすことがある．
- 現時点では治癒が困難であるため，医学的サポートだけでなく，社会的，経済的にも継続して支えることが患者のQOL向上にも必要である．

### ❶ 増悪因子を避ける指導

#### 1）喫　煙

- 潰瘍性大腸炎と異なり，1990年に発表された疫学研究では喫煙によりクローン病の発症のリスクが高まることが報告されている[5]．
- 発症後も喫煙者では手術のリスクが4倍以上であり，さらに，免疫抑制薬投与の必要性が高まることが明らかとなっている．
- 診断確定後は禁煙するように強く指導すべきである．

#### 2）非ステロイド性消炎鎮痛薬（NSAIDs）

- クローン病では腹痛や関節痛をきたしやすく，痛み止めが必要となる頻度は高いが，長期連用は悪化のリスクとなるため，なるべく頓用での使用が望ましい．
- 炎症性腸疾患（IBD）寛解期にナプロキセンなど非選択性NSAIDsを服用すると9日以内に17～28％の患者が再燃したと報告されている[6]．
- ただし，低用量アスピリンやCOX-2選択性NSAIDsに関しては問題は少ないと思われる．

### ❷ 講演会や患者会を通じた情報提供による支援

- 患者向けの医療講演会が保健所や病院主催で数多く行われており，通院だけでは困難な病気の理解に役立つ．
- IBDの患者会に参加し，悩みを共有するだけでも心理的負担はかなり軽減する．また，仲間意識をもつことで孤独感からの解放，闘病意欲の高まりなど，医師-患者関係だけでは得られないさまざまなメリットがある．

### ❸ 社会制度による支援

- クローン病は若年患者が多いため，学業や就職活動に対する影響が大きい．また，就

職後も病状悪化により仕事が制限されることがあるため，収入が不安定になりやすい．このため，経済的負担を少しでも減らすような制度などの情報を提供することは重要である（「column クローン病患者の就労支援」参照）．
- 特定疾患申請による医療費の自己負担軽減はよく知られているが，クローン病で小腸大量切除を行った場合は，小腸機能障害や直腸膀胱機能障害による身体障害者認定を取得できる可能性がある（「第12章 社会支援」参照）．
- 自治体によっては難病に指定された場合に難病療養者見舞金が支給される制度もある．
- 生命保険も一定の条件を満たせば加入できるタイプも発売されている（「第12章 社会支援」参照）．

（辻川知之）

## 文献

1) Shoda R et al：Epidemiologic analysis of Crohn disease in Japan：increased dietary intake of n-6 polyunsaturated fatty acids and animal protein relates to the increased incidence of Crohn disease in Japan. Am J Clin Nutr 63：741-745, 1996
2) Sakamoto N et al：Epidemiology Group of the Research Committee on Inflammatory Bowel Disease in Japan：Dietary risk factors for inflammatory bowel disease：a multicenter case-control study in Japan. Inflamm Bowel Dis 11：154-163, 2005
3) 福田能啓 他：クローン病の維持療法時の脂肪摂取と累積再燃率．厚生省特定疾患難治性炎症性腸管障害調査研究班，平成10年度研究報告書．p.69-70，1999
4) Cox SR et al：Effects of Low FODMAP Diet on Symptoms, Fecal Microbiome, and Markers of Inflammation in Patients With Quiescent Inflammatory Bowel Disease in a Randomized Trial. Gastroenterology 158：176-188, 2020
5) Sutherland LR et al：Effect of cigarette smoking on recurrence of Crohn's disease. Gastroenterology 98（5 Pt 1）：1123-1128, 1990
6) Takeuchi K et al：Prevalence and mechanism of nonsteroidal anti-inflammatory drug-induced clinical relapse in patients with inflammatory bowel disease. Clin Gastroenterol Hepatol 4：196-202, 2006

# 第12章 社会支援

## 1 社会支援の必要性と支援体制

### ❶ 社会支援の必要性
- クローン病は青年期に発症することが多いため，就学，就職，結婚・出産などのライフステージの変化に大きな影響を及ぼす．
- 疾患活動性や治療により生じた生活上の問題を，患者や家族だけでなく社会全体として解決できるよう支援が必要である．

### ❷ 支援体制
- 支援体制として公的な社会保障制度，患者支援組織や生命保険への加入などの間接的な支援がある．

#### 1）公的な社会保障制度
- 医療費負担，所得補償および就労支援の3つに大別される．

①**医療費負担**
- 医療費負担は，「特定疾患医療費助成制度」[1] と「高額療養費制度」[2] がある．
- 「特定疾患医療費助成制度」は厚生労働省の難病対策事業によるもので難病指定医の診断書などを含めて申請すると，設定された自己負担額上限を超える医療費が公費で助成される．
- 「高額療養費制度」は，難病に限った制度ではない．1ヵ月にかかった医療費の自己負担額が高額になった場合に一定の金額が助成される．クローン病の確定診断がつかない時期など利用可能である．

②**所得補償**
- 「傷病手当」および「障害基礎年金」があるが，これらの受給要件は個人によって異なる．

③**就労支援**
- 難病相談支援センター[3] および全国のハローワークで，患者の状況に応じた就労活動の支援が行われている．

#### 2）患者支援組織や生命保険への加入などの間接的な支援
- 全国各地域に炎症性腸疾患（IBD）の患者会が組織され，情報や体験の共有が行われている．
- 患者会の相互支援を行う組織としてNPO法人IBDネットワーク[4] が活動している．
- 医療関係者が中心となった患者支援組織であるNPO法人日本炎症性腸疾患協会（Crohn's & Colitis Foundation of Japan：CCFJ）[5] が患者支援，情報発信を行っている．
- 生命保険に加入しにくいことがあったが，近年は専門の窓口がある会社や，持病のある人や難病患者向けの保険がある．

- 住宅ローンが組みにくいことがあるようであるが，病状が安定している場合にはローンを組むことができる場合もある．

(板橋道朗)

# 2 社会保障制度

## ❶ 難病医療費助成制度
- クローン病は「特定疾患治療研究事業」という厚生労働省の難病対策事業の対象疾患に指定されている．
- 都道府県知事が委託した医療機関でクローン病の診断を受け，病状の程度が一定程度以上の場合，所定の手続きを行い，認定されると，クローン病治療における医療費自己負担の公費助成を受けることができる．
- 世帯の所得に応じ，1医療機関につき1ヵ月あたりの医療費自己負担限度額が設定され，決められた自己負担限度額を上回った医療費について助成される（**表**）．

## ❷ 身体障害者認定
- 「小腸機能障害」は小腸の切除または疾患による永続的な機能障害があり，かつ経口による栄養補給では栄養維持が困難なため，中心静脈栄養や経管法での成分栄養剤による

**表　医療費助成における自己負担上限額（月額）**

(単位：円)

| 階層区分 | 階層区分の基準<br>（（ ）内の数字は，夫婦2人世帯の場合における年収の目安） | | 自己負担上限額（外来＋入院）（患者負担割合：2割） | | |
|---|---|---|---|---|---|
| | | | 一般 | 高額かつ長期* | 人工呼吸器等装着者 |
| 生活保護 | − | | 0 | 0 | 0 |
| 低所得Ⅰ | 市町村民税<br>非課税<br>（世帯） | 本人年収<br>〜80万円 | 2,500 | 2,500 | 1,000 |
| 低所得Ⅱ | | 本人年収<br>80万円超〜 | 5,000 | 5,000 | |
| 一般所得Ⅰ | 市町村民税<br>課税以上7.1万円未満<br>（約160万円〜約370万円） | | 10,000 | 5,000 | |
| 一般所得Ⅱ | 市町村民税<br>7.1万円以上25.1万円未満<br>（約370万円〜約810万円） | | 20,000 | 10,000 | |
| 上位所得 | 市町村民税25.1万円以上<br>（約810万円〜） | | 30,000 | 20,000 | |
| 入院時の食費 | | | 全額自己負担 | | |

*「高額かつ長期」とは、月ごとの医療費総額が5万円を超える月が年間6回以上ある者（例えば医療保険の2割負担の場合，医療費の自己負担が1万円を超える月が年間6回以上）．

(文献1) より引用)

# 第12章 社会支援

経腸栄養療法を継続している場合に適応になる．
- 「膀胱または直腸の機能障害」は永久的な人工肛門（ストーマ）を造設しているか，治療困難な瘻孔があり，腸内容が漏出してしまう場合に適応になる．障害認定されると，ストーマ造設している人はストーマ用装具の給付などのサービスを受けることができる．
- 障害者手帳の交付
  ① 身体障害者福祉法で定められている認定基準を満たしていれば，「内部障害者」の障害程度等級（1・3・4級）に該当する．
  ② 障害者手帳を交付されている人は障害の程度により，税の控除や公共交通機関の運賃割引などを受けられる．

## ❸ 所得補償

### 1）傷病手当金

- 健康保険加入者とその家族の生活を保障するために設けられた制度で，被保険者が病気やケガのために就労が困難になり，事業主から十分な報酬が受けられない場合に，報酬の約2/3の額が最長1年6ヵ月間支給される．

### 2）障害年金

- 一定の受給要件を満たしていれば，障害の程度に応じて国民年金から1級または2級の障害基礎年金が受けられる．
- 20歳になる前に病気やケガで障害をもった場合は20歳から，20歳になる前からの病気やケガのため20歳を過ぎて障害をもった場合はそのときから，障害年金を受けることができる．
- 厚生年金保険の被保険者期間中に1級・2級に該当しない軽度の障害と認定されれば，3級の障害厚生年金または一時金として障害手当金が受けられる．
- 障害の原因となる病気やケガの初診日にどの制度に加入していたかで，受けられる年金が異なる．

## ❹ 障害福祉サービス

- 障害者総合支援法（平成25年4月施行）には難病も含まれる．
- 障害者手帳を所持しない難病患者は，企業や団体の障害者雇用義務の対象にはならないが，支援対象として障害福祉サービス（訓練系・就労系サービス）を利用できる．

## ❺ 合理的配慮の提供について

- 障害者差別解消法では障害者[注]に対する「不当な差別的取り扱い」を禁止し，「合理的配慮の提供」については国・地方公共団体等は法的義務，事業者は努力義務がある．

注）この障害者とは障害者手帳の有無を問わず，日常生活や社会生活に相当な制限を受けている人で，難病患者も含まれる．

- 雇用の分野（事業主）における「合理的配慮の提供」は法的義務であるが，自分の困りごととその改善を措置として申し出て，相互合意がなされることにより実現できる．
- 職場における配慮事項の申し出例として，通院への配慮，残業時間の軽減，トイレに行く回数が多いことへの理解，などがあげられる．

（石井京子）

## 3 患者支援組織

- クローン病患者の支援組織には，患者会や保健所，難病相談・支援センターなどがある．ほぼすべての団体や組織がインターネット上にホームページを開設しており，活動内容などの詳細を知ることができる．

### ❶ 患者会

- クローン病などIBDの患者会には，①各都道府県の難病［・疾病］団体連絡協議会（難病連）が運営するもの，②保健所などの公的機関が難病対策事業の一環として行うもの，③各医療機関の医師や看護師などが中心となって組織・運営される医療機関主導型，④患者自身が中心となって組織・運営される患者主導型，に分けられる．
- 患者会に参加する利点として，医師や栄養士などの医療従事者が行う講演会や座談会などから，クローン病についての基礎的知識や新しい医療情報が得られることがあげられる．さらに，同じ病気をもつ他の患者と接することで，患者にしかわからない悩みや疑問点などについて，実践的な知識が得られる．さらに世間からの疎外感や孤立感から解放され，患者のQOLの向上に役立つ場合がある．

### ❷ 保健所

- 保健所は，疾病の予防や健康増進，環境衛生など，地域の公衆衛生活動の中心になる公的機関である．クローン病を始めとする指定難病患者への医療費助成の申請窓口である（自治体により異なる場合あり）．
- クローン病の患者や家族に対しては，地域の難病担当医や専門医による医療講演会や個別相談などを定期的に開催している．さらに，保健師による療養生活に関する相談，患者および家族の情報交換や励ましの場としての交流会を実施している．
- 保健所が整理統合されている地域も多く，その場合，問い合わせは地域の役所となる．

### ❸ 難病相談・支援センター

- 都道府県ごとに整備され，運営は各地域の難病連に委託されている場合が多いが，行政機関や医療機関に併設されていることもある．
- クローン病を含む難病患者を対象に，患者や家族からの療養や日常生活などについての相談や生活情報の提供，相談員によるカウンセリング，ハローワークと連携した就労支援，講演会や研修会の開催，患者会や家族会など地域交流会の活動やボランティア育

# 第12章 社会支援

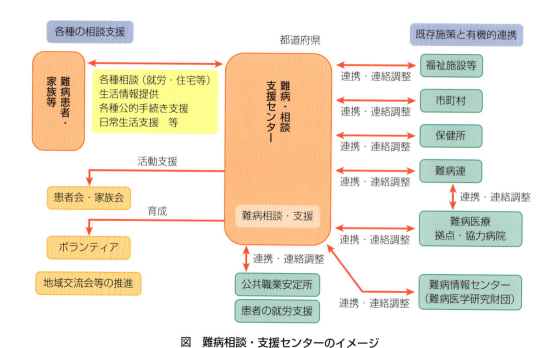

**図 難病相談・支援センターのイメージ**
（文献6）より引用一部改変）

成の支援，難病に関する情報の収集および提供などの活動を行っている（図）[6]．

## ❹ ハローワーク

- 障害者専門援助部門が窓口となり，障害者手帳の有無にかかわらず仕事についての相談を受け付けている．
- 一部のハローワークには「難病患者就職サポーター」が配置されている．難病相談・支援センターと連携しながら，就職を希望する難病患者に対する就職支援や，在職中に難病を発病した患者の雇用継続などの総合的な就労支援を行っている．

## ❺ その他

- 医療者や患者が設立に携わったIBD患者の支援組織として，CCFJや三雲社などがある．
- CCFJは，医療情報誌「IBDニュース」の発行，市民公開講座や地域単位での患者相談会，食事療法の講習会の開催，料理レシピ集の発行などの活動を行っている．なお本書は，CCFJが編者となり発行されたものである．
- 三雲社は，IBDの患者が設立し，患者向け生活情報誌「CCJAPAN」の発行などの活動を行っている．

## 4 間接的な支援活動

### ❶ 難治性炎症性腸管障害に関する調査研究班

- クローン病や潰瘍性大腸炎の調査研究などを介して，IBD患者を間接的に支援する全国組織として，1973（昭和48）年に"厚生省特定疾患調査研究班"が設立された．現在は"難治性炎症性腸管障害に関する調査研究班"の名称となり，厚生労働科学研究費補助金難治性疾患政策研究事業の一環として，活発な活動が継続されている．
- 研究班は，全国のIBDの基礎的研究や診療を専門とする医師を中心とした研究者により組織されている．研究班の活動内容は，IBDの疫学や病因の解明，診断基準や治療指針の作成，診療ガイドラインの策定，新しい治療法の開発，一般臨床医に対する啓発・広報活動など多岐にわたる．さらに患者向けの情報冊子を作成するなど，IBDの患者や家族の教育への支援も行っている．その研究成果は，年2回の総会や研究報告書などで公表されている．

### ❷ 希少疾病用医薬品の開発促進制度

- 医療上の必要性は高いが，対象となる疾患の患者数が少なく，有効性が確認されて市販に至っても研究開発にかかった費用の回収が難しい薬剤がある．
- 厚生労働大臣が指定する希少疾病用医薬品または医療器具については，必要とする患者が使用できるよう開発促進制度が創設されている．希少疾病用医薬品または医療器具の指定を受けると，助成金の交付，税制上の措置，試験研究に関する無料での指導および助言，優先審査の実施や再審査期間の延長などの優遇措置を受けることが可能になる．
- クローン病に対する治療薬としては，過去にメサラジン（ペンタサ®錠250 mg）および抗ヒトTNF-αキメラ型モノクローナル抗体薬インフリキシマブ（レミケード®）の2薬剤が，希少疾病用医薬品の指定を受けて製造販売承認に至っている．

## 5 生命保険への加入

- クローン病などのIBDは，慢性難治性の病状経過をとる場合が多く，従来は生命保険契約の引き受け対象から除外されていた．しかしIBDの診断および治療技術の進歩とともに，死亡および入院の危険性が減少していることから，IBDの患者が加入できる生命保険が販売された．
- 大樹生命保険株式会社から販売されているものが該当し，IBDの患者でも一定の条件を満たせば生命保険への加入が可能になった．なお生命保険の申し込みにあたっては，通常の申し込み書類（申込書，告知書など）に加え，専用の診断書が必要になり，クローン病の重症度や治療内容，保険種類などによっては加入できない場合や，条件付引き受けの場合がある．特にクローン病により入院や手術などを受けた直後や，今後病状の悪化が予想される場合，重篤な合併症がある場合などは加入が難しいようである．詳細

# 第12章 社会支援

については,「大樹生命の炎症性腸疾患専用お客さまお問合せ窓口(0120-270-706)」で確認することができる.
- 大樹生命以外の保険会社でも,アフラックには,条件付ではあるがクローン病の患者が加入可能な医療保険がある.

(小林清典)

## 文献

1) 難病情報センター:指定難病患者への医療費助成制度のご案内
   https://www.nanbyou.or.jp/entry/5460 (2021年1月閲覧)
2) 厚生労働省:高額療養費制度について
   https://www.mhlw.go.jp/stf/seisakunitsuite/bunya/kenkou_iryou/iryouhoken/juuyou/kougakuiryou/index.html (2021年1月閲覧)
3) 難病情報センター:都道府県・指定都市難病相談支援センター一覧
   https://www.nanbyou.or.jp/entry/1361 (2021年1月閲覧)
4) NPO法人IBDネットワーク
   https://www.ibdnetwork.org/ (2021年1月閲覧)
5) NPO法人日本炎症性腸疾患協会
   http://ccfj.jp/ (2021年1月閲覧)
6) 難治性炎症性腸管障害に関する調査研究班:潰瘍性大腸炎とクローン病の皆さんへ─皆さんを支える社会制度とその他の支援,難治性炎症性腸管障害に関する調査研究班,2008

## column　クローン病患者の就労支援

❶ **「障害者の雇用の促進等に関する法律」**：企業は一定の割合［民間企業43.5人以上の規模で従業員数の2.3%（2021年3月現在）］の障害者を雇用する義務がある．CSR（corporate social responsibility），コンプライアンスの観点から障害者雇用が進み，サテライト勤務や在宅勤務など柔軟な働き方が広がってきている．また，障害者や難病患者の就労支援策が拡充し，利用可能なサービスが増加している．

❷ **職業相談・職業準備・定着支援**：ハローワーク専門援助部門は障害者だけでなく難病患者の相談にも対応する．障害者職業センター，地域の就労支援センター，障害者就業・生活支援センターなどが障害者や難病患者の就労支援を行う．

❸ **新卒応援ハローワーク**：新卒応援ハローワークは，全都道府県にあるワンストップで新卒者を支援する施設で，大学院・大学・短大・高専・専修学校などの学生や，既卒3年以内の人を対象に，新卒者の就職支援を専門とする職業相談員がきめ細かな支援を行う．障害や難病の知識をもつ相談員もいる．

❹ **難病患者就職サポーター**：難病についての知識を有する専門職員が一部のハローワーク窓口に配置され，難病相談支援センターと連携しながら相談に対応する．就職を希望する難病患者に対する症状の特性を踏まえたきめ細やかな就労支援や，在職中に難病を発症した患者の雇用継続などの総合的な支援を行う．

- ハローワーク一覧　　　　　　　　　　　　　　　　　　（2021年1月閲覧）
  https://www.mhlw.go.jp/kyujin/hwmap.html
- 新卒応援ハローワーク一覧
  https://www.mhlw.go.jp/stf/seisakunitsuite/bunya/0000184061.html
- 難病患者就職サポーター配置ハローワーク一覧
  https://www.mhlw.go.jp/file/06-Seisakujouhou-11600000-Shokugyouanteikyoku/nansapo-haichiHW.pdf

❺ **障害者職業訓練**（障害者手帳の有無を問わず利用可）

| | |
|---|---|
| 公的障害者職業訓練 | ・さまざまな団体に委託して実施する多様なニーズに応じた職業訓練 |
| 就労移行支援 | ・障害や難病などのある人が一般企業での就労を目指す際にサポートしてくれる障害福祉サービスの一つ<br>・在住の自治体で障害福祉サービス受給者証（訓練等給付）を申請し利用する<br>・全国各地にある事業所へ通い，パソコンやビジネスマナーなどの職場で必要なこと全般についての訓練を受ける |

❻ **その他**：難病患者の雇用促進のための施策として，難病患者を雇い入れた事業主への特定求職者雇用開発助成金（発達障害者・難治性疾患患者雇用開発コース）の支給がある．

（石井京子）

検印省略

---

## クローン病の診療ガイド

定価（本体 3,800円＋税）

---

2011年10月11日　第1版　第1刷発行
2016年10月15日　第2版　第1刷発行
2021年 3 月22日　第3版　第1刷発行

編　者　NPO法人 日本炎症性腸疾患協会（CCFJ）
発行者　浅井　麻紀
発行所　株式会社 文光堂
　　　　〒113-0033　東京都文京区本郷7-2-7
　　　　TEL （03）3813-5478（営業）
　　　　　　 （03）3813-5411（編集）

©NPO法人 日本炎症性腸疾患協会（CCFJ），2021　　印刷・製本：シナノ印刷

ISBN978-4-8306-2109-3　　　　　　　　　　　　　Printed in Japan

・本書の複製権，翻訳権・翻案権，上映権，譲渡権，公衆送信権（送信可能化権を含む），二次的著作物の利用に関する原著作者の権利は，株式会社文光堂が保有します．
・本書を無断で複製する行為（コピー，スキャン，デジタルデータ化など）は，私的使用のための複製など著作権法上の限られた例外を除き禁じられています．大学，病院，企業などにおいて，業務上使用する目的で上記の行為を行うことは，使用範囲が内部に限られるものであっても私的使用には該当せず，違法です．また私的使用に該当する場合であっても，代行業者等の第三者に依頼して上記の行為を行うことは違法となります．
・JCOPY〈出版者著作権管理機構 委託出版物〉
本書を複製される場合は，そのつど事前に出版者著作権管理機構（電話03-5244-5088, FAX 03-5244-5089, e-mail：info@jcopy.or.jp）の許諾を得てください．